Super G

DU MEME AUTEUR :

Je mange un œuf, Édition Écal, Suisse, 1997, J'ai lu, 2005.
Les Choses communes, Flammarion, 2001.
Septembre, Flammarion, 2002.

Nicolas Pages

Super G

roman

Flammarion

© Éditions Flammarion, 2005.
ISBN : 2-08-068598-8

À Constant Pages
(1893-1985)

1.

Sur le quai de la gare, je t'ai à peine serré dans mes bras. J'ai compris trop tard que c'était la dernière fois.

Je te laisse. Et je te laisse également notre maison. Je sais que tu en prendras soin. Toi, qui n'es pas mort. Souris à nouveau à la vie. Fais confiance à tes intuitions. Largue les amarres de tes peurs. Approche-toi de tes désirs. Pas celui de plaire. Que ton sourire redessine tes lèvres, que ton bonheur marque ton visage. Je te sens déjà retrouver ta liberté. Je t'ai abîmé. Je t'ai tellement mal aimé. Je vais refaire ma vie pour pouvoir te revoir. Je ne voulais pas partir. Je ne voulais pas que l'on se sépare. J'ai essayé de ne plus t'aimer. J'ai encore échoué. C'est le vide que je sens enfin autour de moi. Et une libération qui pourtant me soutient. Notre séparation prend enfin vie. Devant moi, s'étend un horizon aux couleurs de néon.

2.

Tu t'appelles Louise, tu as trente-quatre ans, tu as quitté ton mari, ta maison et ton travail pour revenir en Suisse. Ces huit dernières années, tu as travaillé à Londres comme illustratrice de livres pour enfants. Tu avais une bonne place, un bon salaire, de bons collaborateurs. Tu aimais ce que tu faisais. Mais voilà, cela ne suffisait plus. Tu n'allais pas bien et tu devais changer. Quoi, tu ne savais pas. Tout, oui, certainement tout. Alors, tu as pris ton courage à deux mains, et tu es partie. Dans ces circonstances, les adieux ne se font jamais. Tu savais que tu le reverrais. Tu n'étais pas une mauvaise femme, juste trop souvent de mauvaise humeur. Tu n'étais pas heureuse. Et il fallait y remédier. Il t'a aidée à partir. Tu as fait coïncider ton départ avec le début de la saison d'hiver. Il te fallait bien un prétexte. Quelques mois auparavant, tu avais répondu à une annonce, dans laquelle on cherchait des moniteurs/trices de ski... Faire quelque chose, t'occuper la tête et pourquoi pas te rendre utile même si tes économies te permettaient de ne pas travailler pendant plusieurs mois. Tu es partie retrouver ton pays froid. Et tu es allée rejoindre tes racines, retrouver ces liens qu'il avait fallu couper.

3.

Tu n'entends déjà plus que le souvenir de ses pas.
Tu es partie un soir dans un train en retard. Tu as pris
la route, quittant la plaine, pour rejoindre la blancheur
des hauteurs. Cela faisait huit ans que tu n'avais pas
skié. Par manque de goût, par manque d'entraînement.
Après avoir descendu une piste recouverte de moquette
en plastique verte un après-midi d'été, tu t'es dit que
le ski en Angleterre n'est pas très spectaculaire.

4.

Tu es partie, sans histoire, sans regret, sans amour.
L'impasse est de taille. Les histoires d'amour exhibent
tes peurs. Tes manques remontent à la surface de ton
corps et ne te relâchent qu'une fois ton cœur broyé.
Tu n'arrives pas à te défaire de son visage et tu entends
encore ses pleurs. Ta peau se déchire et tu saignes.
Malgré cet enfermement et ces nombreux mois d'er-
rance, dans des bras qui se disaient réconfortants, cette
malheureuse nuit ne s'efface pas. Tu tentes de tuer les
convictions acquises au long de ces dernières années.
Heureusement que Largo est resté avec toi. Ton chien
qui t'aide à ne pas trop te sentir larguée. Tu rêves de
mots doux mais avec lui, c'est le regard qui dit tout.
Tu reviens en Suisse. Pour ses jolis chalets, perchés
dans la montagne. Pour ce paradis artificiel. Pour les
Alpes, berceau de l'Europe, pour tous ces cols et toutes
ces vallées qui ont écrit l'histoire.

5.

Lorsque tu sors de l'autoroute et pénètre la vallée qui te guide par paliers jusqu'à la station, tu sens un poids s'évanouir derrière tes épaules. Progressivement. La plaine disparaît avec ses plaintes. Et la ville qui étouffait le ciel lui rend enfin sa profondeur. Le nombre de voitures sur les routes s'amenuise alors que les pentes deviennent de plus en plus abruptes. Devant les versants verticaux de la montagne, il te sera désormais impossible d'échapper à ce face-à-face. En mal d'oxygène, la vallée se referme sur elle-même. Elle t'engloutit. Tu sens un léger bonheur te gagner. Tu t'émerveilles devant ce paysage bucolique qui semble inchangé depuis ton enfance. Pourtant la montagne est loin d'être immortelle. Elle bouge. Et toi, tu montes à la rencontre du froid. À chaque virage, tu te transformes et tu deviens quelqu'un d'autre. Comme un retour en arrière. À la recherche de ce que tu as perdu.

Calée dans ton siège, le dos bien droit, tes mains agrippées au volant, tu es absorbée par la route. Silencieuse, tu te perds dans le paysage rythmé par les tunnels. Les chalets qui deviennent de plus en plus nombreux sont comme des jouets. Tombés accidentellement sur les versants de la montagne, regroupés dans un coin tranquille ou se rassurant à la lisière d'une forêt, ils sont une image de paix face à la nature gigantesque. Devant ces constructions, tu fais et défais les méandres de ton cœur.

Tu penses à Paul. À ton enfance. À ce retour. À ton frère. À tes amis. À la saison de ski. À ce que tu sais avoir volontairement oublié. À ceux que tu devrais appeler. Donner des nouvelles. Ne surtout pas pleurer. À cette main qui te serre la gorge. Cela fait tellement d'années que tu n'as pas éprouvé le sentiment de *monter au chalet*. Que tu n'as pas mangé de la viande séchée, une fondue ou une raclette au feu de bois. À Londres, il n'y avait que les cartes postales reçues à l'approche de Noël qui diffusaient l'image de la montagne. En solitaire convaincue, tu te rends dans ce village qui n'était autrefois qu'un refuge pour les chasseurs avec quelques cabanes. Aujourd'hui, le village est devenu une petite ville avec des boutiques de luxe et un cinéma. Il rassemble les amants qui veulent découvrir l'ivresse de l'altitude. La neige et son silence rendent la forêt magique et les chalets au loin palpitent au rythme du vent. C'est un temps de début décembre, sombre, glacé, avec un vent qui souffle la fumée dans tous les sens.

Tu as laissé la ville derrière toi qui a laissé la terre derrière elle. Le chalet sera ton cœur, faisant le lien entre ta nature sauvage et ton besoin de repos. Pour voir et te sentir enfin témoin du théâtre de cette nature qui t'a tant manqué. Si seulement tes souvenirs pouvaient se réduire en miniature.

6.

Après huit années passées à Londres dans une maison en béton, l'idée de te retrouver dans une construction entièrement en bois te réchauffe. Tu aimes cette odeur. Cette simplicité. Un cadeau dessiné par le vent, façonné dans une conquête de liberté, dressé dans la violence de la montagne. Sur des prairies escarpées au milieu des éboulements et des avalanches. Avec toujours, dans l'arrière-plan, des drames en filigrane. Pas d'idylle sans tragédie. Et pas de tragédie sans idylle. Si seulement cela te permettait de te rapprocher du sentiment *du temps qui n'est plus*. D'un temps révolu.

Tu avais laissé la Suisse à ton départ pour l'Angleterre. Maintenant, c'est au tour de cette île de disparaître au milieu de ses flots. Te voilà dans ton pays avec ses images pittoresques. Ces paysages se superposent dans ta tête et la mélancolie de ton adolescence rend soudain le brouillard encore plus dense.

Ce n'est pas sans difficulté que tu trouves la maison où tu logeras ces prochains mois. Des amis te louent un studio au rez-de-chaussée de leur habitation. Dans l'impasse d'un chemin sans éclairage, le chalet se cache derrière d'énormes sapins. Tu ne distingues pas même le toit. Aucune lumière ne transperce les branches. Il faut s'avancer dans l'allée pour sentir sa présence. Un petit chalet de deux étages dont la devise gravée en façade t'est difficile à déchiffrer, mais à la lueur de ton briquet tu peux lire : *Bon an, mal an, Dieu soit céans.* Et comme le Tout-Puissant règne à l'intérieur, alors tout ira bien ! Montrer son intimité au-dehors pour être sûr que personne ne s'en approche, voilà une caractéristique bien helvétique. Et quand tu vois le rangement impeccable du bois coupé et sa belle disposition contre la façade de l'entrée, tu te réjouis déjà d'entendre le crépitement du feu. Mais, à ta surprise, il n'y a pas de cheminée !

7.

Bien que les volets aient été récemment peints en rouge, ce chalet semble figé dans le temps. Imperturbable parmi toutes les nouvelles constructions et tous les changements que la station impose aux villageois. Dans le jardin, tu te trouves seule au milieu des arbres rassemblés en cercle laissant respirer le chalet le long d'un petit ruisseau. Dans la clairière, Largo, proche de l'hystérie, se démène avec ce qu'il n'a encore jamais vu, ni touché, la neige, qu'il goûte à pleine gueule. Tout de suite ce chalet te plaît. Une construction toute simple des années cinquante qui possède cette perte de quelque chose qui a été. Une beauté fanée, oubliée derrière l'agitation d'une station enivrante. Tu regardes ce chalet qui s'élève dans le vent et la tristesse de cette nuit de décembre. L'air, froid et vif, mord et tu sens quelques flocons de neige sur ton visage. En contrebas, le village scintille, couvert de lumières. Le blanc soyeux des nuages se démarque au milieu des falaises. Et cet air montagnard bleu foncé t'invite à rentrer te réchauffer.

8.

Tu ne veux plus marcher dans les sentiers de l'imaginaire. Tu as davantage besoin de t'ancrer dans le réel, même s'il ne t'intéresse guère. Tu te sens invisible comme un fantôme dans un paysage blanc. Et dans ton lit au duvet blanc près de la rivière, très vite tu t'endors. Dès le lendemain, il faut que tu te lèves à six heures pour avoir le temps de promener Largo, de déjeuner et de te préparer pour une longue journée sportive. Une semaine bien remplie s'ouvre à toi. Tu reprends le chemin de l'école, prête à tout pour t'occuper la tête.

L'accueil de l'école suisse de ski n'est pas très chaleureux. Tu imagines bien qu'ils en ont vu d'autres. Tellement d'autres. Que rien n'existe vraiment. Vous êtes répartis en plusieurs groupes. Et après avoir passé la matinée à écouter les cours théoriques ainsi que la pédagogie, vous êtes enfin partis skier. Comme tu n'as pas eu le temps d'acheter de nouveaux skis, tout le monde a ri en découvrant ton vieux matériel digne de figurer dans une vitrine de musée. L'image parfaite de la sportive de haut niveau ! Tu as prétexté qu'on t'avait volé tes skis l'année dernière, le dernier jour de la saison, à la dernière halte pour boire le dernier vin chaud de la saison. Le coup classique.

9.

Tu ne veux plus raconter ta vie. Alors tu en oublies volontairement les étapes principales. Tu viens de Lausanne. Tu es au chômage. Et tu loues désormais un petit studio dans la station à l'extérieur du village. Tu es arrivée avec un jour de retard. Un enterrement de dernière minute. Un jour de décalage qu'il faudra vite rattraper. Les dix individus de ton groupe ont l'air d'avoir déjà sympathisé. La majorité a dans les vingt ans. Tu as oublié ce que c'est que d'avoir le contact facile. Tu ne sais plus, tu viens de si loin. Tu as donc attendu ton tour. Patiemment. Dissimulant ta nervosité. Mais tu te trouves maintenant face à ta supercherie. À ton curriculum vitae relatant tes exploits sportifs. À toutes ces phrases bidons. À tout ce stratagème pour être engagée. Bien qu'ils t'aient sélectionnée, dorénavant c'est à toi de prouver ce que tu vaux. Après toutes ces années sans avoir mis des skis aux pieds, la théorie est bien peu de chose. Même si tu ne pratiques plus, tu sais que l'équilibre ne se perd pas. Si seulement c'était pareil pour la confiance. Tu n'as même pas eu le temps de te préparer. C'est certain, l'endurance te fera défaut. Tu te lances. Tu sens les regards se figer derrière ton dos. Tu es de retour à l'école, de retour à la compétition. Tu n'es pas une mauvaise perdante, mais une bonne gagnante. Tant qu'à faire. Et vous êtes tous pareils !

Comme tu as appris à skier à l'âge de quatre ans, tu fais partie de l'école traditionnelle, synonyme de rigueur et de discipline, révolue depuis bien longtemps. Aujourd'hui, il s'agit avant tout de la recherche du plaisir. Sans trop de contrainte. Le mot d'ordre est d'avoir le plus de fun pour le moins d'efforts. Et la grande différence, c'est la longueur des skis. À l'époque, plus ils étaient longs, plus ils demandaient de force dans les jambes. La preuve indiscutable d'être un bon skieur. Aujourd'hui, avec les lois du *carving*, c'est exactement le contraire. Plus les skis sont courts, plus il faut de force pour les stabiliser contre la neige. Au deuxième jour, tu testes de nouveaux skis d'un mètre soixante-dix. Le jour suivant, tu réduis encore la longueur. Pour arriver en fin de semaine, sans trop de bouleversement, à un mètre cinquante-quatre. Retour en Suisse, retour aux sports d'hiver. Être dehors et te geler encore ! Tu adores.

10.

Dans ta chambre minuscule, avec son lit simple et son matelas mou, ta tête se remplit de toutes ces questions techniques. Tu as une semaine pour t'installer dans ce décor. Avec de nouveaux doutes qui t'assaillent. Comment gérer ton emploi du temps surchargé et tes obligations vis-à-vis de Largo, lui qui a l'habitude d'être en liberté. Ici, le jardin n'est pas clôturé et tu seras obligée de l'attacher à une corde. Tu vas tout de suite lui apprendre à rester seul dehors puisque tu ne pourras pas rentrer tous les jours, entre midi et deux, pour la promenade. Tu lui construis une cabane de fortune avec la table du jardin, une chaise et sa peau de mouton. La semaine prochaine devrait être plus calme. Il y a moins d'entraînements et la clientèle pas encore arrivée. Mais ça ne va pas tarder. Toujours pas de portable. Mais ça ne va pas tarder non plus. Pas de connexion pour l'ordinateur. Et ça ne sera pas possible. Tu n'as pas beaucoup de temps libre à force de faire et de défaire les listes de ce qu'il te reste encore à faire. Tu aimes l'idée de t'être engagée dans cette légion mais une chose est sûre, tu n'es qu'au début de tes peines. Pour l'instant, tu te plains de problèmes musculaires, de jambes contrariées, de cuisses tiraillées, de crampes et de fatigue. Normal, six jours de ski par semaine. Et huit heures par jour, ça ne t'était jamais arrivé.

11.

Tu te lèves avant le lever du jour. Tu ouvres la porte-fenêtre du séjour pour laisser sortir Largo et la chaleur de l'appartement surchauffé. Dehors, dans la nuit encore noire, le silence est d'or et tu titubes encore. L'empire des sens se bouscule. L'album de Brad Mehldau résonne. *Largo* se disperse dans la démence de la montagne. Il a neigé toute la nuit. Et il neige encore. Tu commences tes exercices de stretching pour retrouver ta souplesse. Allongements. Étirements. Sous une douche bien chaude. La fenêtre de la salle de bains grande ouverte et le froid glacial du matin qui te pique la peau. Alors tu te réveilles gentiment en sentant tes muscles reprendre leur place. L'effort va bientôt les contaminer comme une drogue. La machine humaine fonctionne à plein rendement. Oui, tu es bien vivante. Sous tes habits de laine et de Kevlar, la montagne te rend sereine et souriante.

Tu espères que ton premier salaire remboursera la somme rondelette dépensée pour l'achat de ton matériel qui a dû être renouvelé dans sa totalité. Chaussures de ski, skis, fixations, sous-vêtements faits de ces nouvelles matières d'un mélange de radioactivité et de Teflon, lunettes de brouillard, lunettes de soleil, bonnet, casquette, gants. Sur tout ce qui est visible, tu as une réduction de quarante pour cent. L'habit fait bien le moine. Considérée comme une vitrine, tu vends du rêve et tu vends un peu de la Suisse. Mais pour ce qui est des sous-vêtements, des collants, des Damart thermolactyl, de la crème solaire, du beurre de cacao et du contour des yeux pour les décongestionner des différences de température, pas de sponsor, pourtant des achats incontournables.

Malgré tous les petits désagréments des premiers jours d'entraînements, tu t'es bien amusée. Heureusement que tu as rencontré Sophie et Jérôme. Deux sur quatre-vingts. Quant aux autres, c'est comme si tu avais raté le rendez-vous. En cette fin d'après-midi, le temps est magnifique. Après avoir partagé avec Sophie et Jérôme une Thermos de café et un petit joint, vous vous lâchez pour le plaisir de faire le moins de virages possible. *Droit en bas !* Tu es heureuse et tu ne te reconnais plus. Tu te retrouves comme une enfant avec ses nouveaux jouets. Que rien ni personne n'a encore abîmés. Tu glisses dans la nature. Tu remplaces enfin l'effort mental par l'effort physique. L'adrénaline est la meilleure drogue. Du sport à haute dose, avec ce subtil mélange d'amusements et de dangers pour être capable d'anticiper les risques. Du vin chaud, des tartines, du beurre et peut-être du sexe ! Tu verras bien ce que te réserve ce séjour. Pour l'instant, tu es à trois mille mètres d'altitude de penser à quoi que ce soit. Le soleil se couche derrière les montagnes. Et la neige se teinte comme le ciel. La station s'illumine comme la ville disparaît. Laissant juste l'espace d'un écho infini.

12.

Tu savais avant de venir que tu aurais un salaire de misère. Mais à ce point. Toutes charges déduites, tu arrives à l'équivalent de dix euros de l'heure. Bien que la station soit l'une des plus chères de Suisse, tout le monde veut venir skier ici. Tu es donc certaine d'avoir du travail, mais tu peux diviser ton salaire par deux par rapport aux autres stations. Ne fais-tu partie de l'école dont le partenaire n'est autre que le musée Olympique ? Quel honneur ! Tu es payée en fonction de tes heures effectives de travail. Cours collectif, cours privé, tout se mélange. Le dimanche, ton seul jour de repos, tu es payée le double, si tu es d'accord pour travailler. Pas le droit d'être malade, pas le droit d'arriver en retard, pas le droit de fumer. Quand tu portes l'uniforme, tu as intérêt à te tenir à carreau. Une fois enlevé, tu fais ce qu'il te plaît. Ce que tu regrettes le plus, c'est la disparition du tableau réunissant toutes les photos des moniteurs. L'ordinateur l'a remplacé et c'est lui qui te choisit selon ton profil, tes connaissances linguistiques et ton âge. Il va sans dire que les patentés ne donnent que des cours privés. Mais comme les combinaisons d'un professionnel et d'un auxiliaire sont identiques, cela entraîne de nombreux quiproquos avec les clients. Ils sont sûrs que tu viens de la région, du pays d'en haut, que l'été tu es bergère ou gardienne de génisses à l'alpage, que tu as été une championne de ski dès ton plus jeune âge, que tu connais la montagne et ses risques sur le bout des doigts. Et surtout, vu le montant de la facture, ils sont certains que tu gagnes très bien ta vie. Il ne faut donc pas t'attendre à recevoir un quelconque pourboire. Non, tout ce auquel tu as droit, c'est d'être prise en photo à la fin de la semaine, le vendredi, dernier jour des cours collectifs pour enfants. Et de figurer au milieu d'un album de famille, laquelle se souviendra pendant longtemps de ton existence, avec comme légende, *Louise, mon prof de ski, Verbier, hiver 2002-2003.*

13.

Sophie est une ancienne championne junior de ski de fond et de télémark. En été, elle est guide de randonnée. La montagne est sa passion. Elle a juste vingt ans. Jolie, elle respire l'enfant unique. Son père a été son coach. Son accent valaisan lui donne un charme surprenant. Elle te fait rire. Elle aussi a un chien, un berger allemand de trois ans, qu'elle laisse toute la journée sur son balcon. Elle habite dans la vallée. C'est sa première saison. Même si elle n'apprécie guère l'état d'esprit de cette école, elle sait séduire et tourner autour du pot pour obtenir ce dont elle a besoin. Ce qui ne l'empêche pas de souvent gueuler.

Jérôme est un cadeau du ciel. Une friandise. Un mec hors du commun, que jamais tu n'aurais rencontré si tu n'avais pas fait partie du même groupe pour les entraînements. Un drôle de montagnard, cynique à souhait, un fou qui se fout de tout. Et qui revient chaque année dans cette station. Pour lui, ce salaire de misère ne pose pas de problème. À ce que tu as pu comprendre, il en gagne encore moins dans son alpage le reste de l'année. Il s'agit avant tout de vacances à la montagne. Adepte du ski extrême, rien ne lui fait peur.

Et avec un calme olympien et une patience aiguisée, il joue le jeu du parfait moniteur. Il trouve toujours l'angle de vue idéal pour appréhender une situation critique. En plus, ce qui ne gâche rien, il est beau à mourir avec sa peau brûlée et ses yeux gris clair comme deux soleils improbables.

14.

Le slogan de la station, c'est *Verbier, au-dessus des nuages*. Très joli titre. *Au-dessus des nuages*. Alors que la plaine sombre dans l'anonymat quand la mer de brouillard devient indélébile, les sommets des montagnes se détachent les uns des autres et des milliers de fjords redessinent le panorama. Pourtant tu te sens seule sur ton île de plaisir. Tu grimpes. Tu voles. Tu glisses. Tu te laisses porter par le vent. Les pentes ne sont pas dociles. Et l'effort absolument pas futile. Le Mont-Fort. Le Mont-Gelé. Mère nature, domine-moi ! Pour tous ceux qui la contemplent, il y aura un prix à payer. Lequel ?

15.

C'est dimanche. Première grasse matinée. Tu aimes l'odeur du hors saison au milieu de ces chalets inhabités. Tu te réveilles lentement. Dehors, le brouillard est épais et il neige. Au moins vingt centimètres sont tombés cette nuit. Largo cherche sa banane en plastique enfouie dans le jardin. Il saute. Il frétille. Il joue. Il se prend pour un cabri. Un cheval. Pour un enfant incapable de s'arrêter à temps. Cela fait déjà un peu plus d'un an que tu as Largo et, depuis, tu vis dans un monde enchanté, où tout animal pourrait se mettre à parler. Tu n'as jamais rencontré autant de souris, de blaireaux, d'écureuils, de lièvres, de biches et de cerfs.

Il neige des kilos. L'horizon se bouche. Les sapins protestent. Et les chalets s'isolent. Que faire aujourd'hui ? Rien. Te reposer. Promener Largo en fin de journée. Avant qu'il ne laboure le jardin et que le jour ne soit trop sombre.

Tu visites, tu regardes, tu découvres, tu déambules, te laissant aller au gré des sentiers, suivant quelques barrières, en fonction des lumières. Il reste une semaine avant Noël, sept jours de course effrénée pour que chacun termine son travail et puisse retrouver les siens. Tu prends quelques habitudes. Rendez-vous de fortune.

Tu observes une femme à l'intérieur d'un chalet aussi grand qu'un bateau. Elle a des cheveux blonds attachés par un foulard. Tu t'arrêtes. Tu t'accroupis pour mieux la voir. Elle passe l'aspirateur. Elle semble suivre les ombres de la table et des chaises sur le tapis d'Orient. Lentement. Tellement lentement que ce n'est plus de la conscience à ce niveau-là. C'est de l'absence. Quelque part dans ce hameau, le chalet de tes rêves t'attend comme un amant. Avec ses caprices de vacances à assouvir. Contrirement à d'autres stations plus familiales et meilleur marché, Verbier n'a pas de source thermale. Le dernier cri reste donc le jacuzzi installé sur le balcon.

Cette nuit, le vent souffle et les villages perchés de l'autre côté de la vallée se mettent à clignoter comme une carte perforée. En une nuit, la neige écrase les habitants par son abondance. Comme la vague qu'ils sont prêts à attendre toute l'année. Elle est déjà là. Le temps et même le vent sont surpris. Les chasse-neige essaient de s'en charger. Mais la station reste bloquée. La neige coule comme du sable dans le cou. Entre les doigts. Tu as la pêche et tu te crois suspendue dans une immense toile d'araignée. Les remontées mécaniques ont dû fermer. Les entraînements ont été annulés. Deux jours sans rien faire. S'habituer à cette nouvelle vie. Et comme tu penses à demain, ton mari d'hier vient hanter tes siestes.

16.

Il s'appelle Paul. Vous êtes restés ensemble pendant plusieurs années, six peut-être, tu ne sais plus combien exactement. Tu n'oses pas les compter de peur de ne voir qu'une routine bien huilée. Tu l'as quitté il y a un mois. Mais non, que dis-tu, c'était il y a un an, déjà. Et si tu essaies de te remémorer la dernière fois que tu as fait l'amour avec Paul, cela doit bien dater d'une vie antérieure. D'ailleurs, avant que tout soit fini entre vous, cela faisait déjà plusieurs mois que tu n'en avais plus envie. Bien sûr cela devait venir de toi. De lui aussi. On n'est jamais seul quand on est deux. C'était vous, c'était comme ça. Le changement t'angoissait et le quotidien te tuait. Jamais contente. Toujours quelque chose à redire. Rarement satisfaite. Peu de folie dans ta tête. Trop dans la sienne. Contrainte à le suivre. Lui qui avait besoin de tout contrôler. Une responsabilité partagée. Tu lui avais laissé cette place. Paul était lunatique. Il était insupportable ou très affectueux. Dépressif ou hystérique. Bon amant ou très mauvais. Ce tout et ce rien t'avaient immobilisée. Les derniers mois, tu avais l'impression de toujours faire le premier pas. Alors que Paul ne s'occupait que de son plaisir. Tu te forçais. Ce n'était pas du dégoût. Son corps était resté le même. Sec et nerveux. C'est toi qui avais changé. Un peu nympho et certainement un brin parano. Tu es devenue de moins en moins flexible. Pourtant tu t'adaptes, mais le plus dur, c'est dans ta tête. Des chansons que toi seule peux entendre. Tu t'inventes. Tu t'ignores. Ou tu ne t'aimes pas. Tu sais aussi que quand tu as besoin de séduire, de te mettre en avant, c'est que justement tu n'as pas confiance en toi. Parfois les autres te trouvent belle alors que tu n'es pas exactement jolie. Oui, tu plais aux hommes. Devant leurs regards, tu es spontanée. Entière. Avenante. Tu conquiers facilement le cœur des autres filles. Tu ne les as jamais vues comme des concurrentes ou des rivales impériales. Mais à l'intérieur, c'est la discorde. Tu es ton pire ennemi. Paul qui te connaissait bien ne s'en était jamais plaint. Jusqu'au drame.

Dehors, on ne percevait rien. Et c'était sûrement ça le problème. Tu restais digne. Aucun signe de mésentente. Aucun grondement de vengeance. Tu soignais l'apparence. Tu faisais attention. Tu mangeais léger. Tout était compartimenté. Dissocié. Beaucoup de barrages et peu de vases communicants. Les jours de clairvoyance, tu te disais que tu n'étais que le témoin d'une guerre civile entre ton corps et ton esprit. Tu désirais un enfant. Mais la nature semblait te dire que tu ne pourrais pas en avoir. Il t'a fallu accepter cette absence. Le sujet clos, tu es passée à autre chose. Tu oses à peine le dire et tu ne veux plus y penser. Tu préfères mentir. Va savoir pourquoi ! Après avoir banni *pourquoi* de ton vocabulaire, *je ne sais pas* était devenu ta réponse favorite. Mais là où tu te prenais véritablement la tête c'est que tu n'avais plus envie de faire l'amour. Tu n'en ressentais plus l'envie. Dans tes balades nocturnes, c'était autre chose. Tu n'étais pas toi. Et par la même occasion tu n'étais pas avec Paul. Sans rire. D'ailleurs, tu ne riais plus. Tu te sentais vide. Sans envie. Sans amour. Sans entrain. Sans joie. Sans surprise. Mais il ne fallait pas s'y méprendre, tu t'entendais à merveille avec Paul. Le partage de votre vie quotidienne se passait sans embûche. Sans conflit insurmontable. Et quand il y en avait, vous vous évitiez. La maison était suffisamment grande. Vous vous aimiez, c'était sûr. Vos habitudes vous tenaient l'un contre l'autre. Vous ne vous parliez pas beaucoup. Ça, c'était sûr aussi. Tu ne sais toujours pas d'où venait cette peur. Au début de votre relation, ce que tu appréciais c'était sa protection. Dans ses bras tu te sentais irrésistible. Il avait quinze ans de plus que toi. Bien qu'il soit petit, il avait une force incroyable. Et puis, un jour, tu t'es sentie plus vieille que lui. Cet éternel va-et-vient te fatigua. T'exaspéra. À ton tour, tu devenais lunatique. Flegmatique. Certainement paresseuse. Et dire que tu n'avais même pas trente ans.

Tu rigoles et tu te prends pour une folle. Pour une femme qui avait une vie trop facile. Peut-être bien. Tu n'avais pas besoin de travailler. Paul le faisait tellement bien qu'il le faisait pour deux. On ne peut pas être bon partout. Toi, tu te sentais bonne pour être une mère. Paul travaillait à la maison. Il n'avait aucun horaire. Il travaillait toute la journée ou toute la nuit, tous les jours de la semaine. Sans arrêt. Au moins, il gagnait très bien sa vie. Trop bien. Difficile de vouloir autre chose puisque tu pouvais tout avoir.

17.

Tu as le temps. Tu te répètes. Et les occasions ne manquent pas. Jusqu'à épuisement. Tu t'appelles Louise, tu as trente-quatre ans, les papiers du divorce viennent d'être signés. Ton mariage n'aura servi à rien, car tu n'as même pas d'enfant. Tu es fanée. Et pour beaucoup tu passes pour un glaçon. Tu aimes la montagne, tu aimes le froid. Tu viens du Nord. Tu viens du vent qui te glace la nuque. Tu comprends. Tu es une boule de glace. Un plat qui se mange froid. Impossible à réchauffer.

La baise. Le sexe. Tu as tout laissé de côté. Tu n'as pas envie de recommencer. Dans ta tête, tout est bloqué. Pourtant tu aimerais te laisser séduire. Mais cette confiance te manque. Avant Paul, tu avais connu quelques hommes. Pendant votre mariage, quelques aventures qui avaient eu comme effet de te rapprocher de lui. Jusqu'au jour où une caresse de sa part ne te fit plus vibrer. Tu ne t'oublias plus. À ton tour, tu gardais le contrôle. Tu n'arrivais plus à te convaincre. À vous satisfaire. Tu étais vide. Tu étais une page blanche où tout était possible et où rien ne se passait. Que dalle. Que des souhaits qui t'avaient bousillé la tête. Obnubilée par tant de désinvolture, stérilisée par tant de dérives. Aujourd'hui, tu n'as personne à tes côtés. Avant de revenir en Suisse, tu as erré et tu ne t'es rien refusé. Un homme après l'autre. Les uns à la suite des autres. Comme si tu avais eu besoin de compenser tes deux années d'emprisonnement. Oui, ton rêve s'était brisé. Ça aurait pu être différent. Mais la vie est rarement ce qu'on pense.

18.

Il y a un an et demi, tu croisas, sur ta route, un chien. Et tu l'adoptas.

19.

Quand tu as vu Jérôme, tu as su. Mais tu t'es tout de suite dit, comporte-toi différemment. Pas de jeu de séduction. Pas de regard fixe. Pas d'emprise singulière. Pas de sourire figé. Pas d'insistance. Rien. Que des coïncidences. Tu sais qu'il est là. Tu sais où le trouver. Tu sais comment il s'appelle. Tu connais sa voix. Son regard. Son sourire. Ses bras. Ses veines. Tu as examiné ses deux chaînes à son cou et ses deux bagues. Une au majeur, l'autre à l'auriculaire. Un soir au pub du Mont-Fort, il était habillé d'un training noir avec une ligne blanche sur le côté. Un débardeur gris, large, confortable. Tu as vu ses pieds nus dans ses baskets foutues. Tu as deviné sa taille, ses fesses. Tu as regardé comment il marchait. Ses jambes arquées tout en souplesse. La nuit, la couleur de ses yeux est encore plus claire. Ses sourcils sont nets, plats. Son profil avec sa pomme d'Adam qui est prête à tomber te fait craquer. L'écart de ses deux dents de devant fait de lui un homme heureux. Sur sa nuque droite et large, comme un socle en marbre enchevêtré de veines saillantes, se tient sa tête rasée. Tu prends plaisir à le déshabiller. Il est plus jeune que toi. Et sa voix est déjà si calme. Tu attendras le moment opportun pour te rapprocher de lui. Tu ne foutras pas tout en l'air. Tu désires le connaître. Et te faire connaître. Tu crèves d'envie de le découvrir. Tu seras patiente. Attentive. Comme une première maîtresse. Tu le guideras. Tu l'écouteras. Sans jamais te lasser. Depuis deux semaines, tu ne penses qu'à lui. Seras-tu capable de te taire ?

La nervosité ou l'excitation te fait transpirer. Tu bois plus que de raison, mais ton corps ne semble jamais rassasié. Tu refuses de trop regarder. Quelques clins d'œil furtifs. Tu te répètes inlassablement que tu attendras de lui plaire. Dans ta tête, tu serais prête à le forcer à t'aimer. Tu aimerais l'attacher. Le pendre par les pieds. Tu aimerais le voir jouir. Le faire jouir. Tu aimerais qu'il te baise. Qu'il t'empoigne par le fer. Qu'il te pénètre dans le cœur. Tu aimerais le sentir venir. Revenir et partir. Qu'il t'emporte dans un délire. Le voir dormir. Lui faire plaisir. Rire. Pour rire. Pour de vrai. Et lui mentir. Par plaisir. Le regarder lire. Le serrer dans tes bras. Le chatouiller. T'asseoir à ses côtés. Le voir pleurer. Le consoler. L'entendre prier. Rêver. Voyager. Nager. Tu as hâte de connaître ce qu'il aime. Ce qui le fait bander. Tu as envie de partir avec lui. Et devenir, dans un train, les amants d'un instant.

20.

Pour les derniers jours d'entraînements, entre deux giboulées, vous vous êtes familiarisés avec le langage théorique. Avoir l'air plus intelligent que vous ne l'êtes en réalité. Apprivoiser les différentes attitudes possibles du corps et comprendre l'action dans sa version complète. Suivant les compétences individuelles et jouant avec l'équilibre dans diverses positions. Puisque le brouillard était encore épais, vous avez favorisé les descentes en forêt. Le ski, c'est de la technique. C'est aussi et surtout du style.

...le corps tout entier est dicté par les jambes... ajuste en douceur tous ces paramètres qui se situent sous la ceinture. Ensuite, regarde. Et fais exactement ce que je fais. Bascule, ondule...

Tu écoutes attentivement ce que votre entraîneur vous dit. Mais, derrière tes lunettes de brouillard, tu souris. Décidément la montagne te rend frivole. Avec tous ces ajustements, tu fermes les yeux et tu te laisses basculer.

*...attitude... passive... agréable... forces... termine...
active... augmente... progressivement... résiste... dérive...
garder... trajectoire... balance... poids... virage... baissant...
sant... sur... atteindre... difficulté... tâche... émotions...
debout... alternativement... soulève... jambe... lentement...
ment... doucement... pousse... soutien... arrière... convergente...
gente... position... divergente... derrière... préfère... passer
dessous... tu... dessus... pousse tes hanches contre mes
jambes, touche... montre-moi... que tu désires... tourne-moi
moi comme... un tournevis... laisse tes bras écartés... dans
le dos...*

Tu n'oses plus le regarder. Tu danses, tu valses. Tu
t'abandonnes. Plus proche de lui. De son corps. Tu lui
enlaces la taille. Tu te serres contre ses fesses. Tes mains
divaguent. Tu fantasmes, proche de l'orgasme. Tu te
laisses aller dans le sens de la pente et de ta perte. L'entraîneur
traîneur a dû vous quitter pour un rendez-vous urgent.
Tu te retrouves seule avec Jérôme. L'air frais intensifie
la communication. Et dans ta tête, tout va vite.

Tu évalues. Tu anticipes. Tu dégoulines. C'est sans
accros, sans retouche. C'est vivant, si énervant. Et
l'acrobatie sera pour une autre fois.

21.

L'école ne s'est pas privée de vous mettre la pression. En précisant que le dernier jour des entraînements, il y aurait plusieurs tests. Oral, écrit et technique ! Mélange imposé, combiné et *free style*. Il y a quelques abandons volontaires. Mais pour la plupart, vous vous retrouvez à faire la queue pour recevoir votre bel uniforme. Rouge et blanc avec une étoile sur l'épaule. Les anneaux olympiques dans le dos. Dans le vestiaire improvisé, chacun fait attention à sa silhouette. Tu regardes ces visages. Tu ne sais pas si vous êtes prêts à passer la saison ensemble. Du moins, vous allez la passer les uns sur les autres, les uns sous les autres et certains sans les autres.

C'est sûr, l'altitude favorise l'échange. En Valais, les hommes de la montagne tutoient. Les égards sont ailleurs, dans le partage d'une vie pleine de danger. Quel privilège sinon de mener une vie au-dessus des autres ? Tu ne te préoccupes le plus souvent que du temps à venir ou de la qualité de la neige. Jamais rien n'est acquis. *Il n'y a pas un seul temps, non, c'est tous les temps réunis qui arrivent durant une seule journée. Il n'y a pas une attitude à avoir, elles ont toutes raisons d'être. Il n'y a pas qu'une voix, elles sont toutes bonnes à être écoutées.* Là-haut, la vie est fort différente. Tout a une autre saveur. Parce que quand la tempête grogne et que le vent soulève la montagne, la seule compagnie auprès de laquelle on puisse trouver un réconfort, ce sont les éperviers qui volent dans un calme olympien. Pour d'autres, ce sont les pierres qui s'écroulent au pied d'un précipice. Avec l'écho qui transporte tes lamentations. Dans l'étroitesse de la vallée qui se termine en cul-de-sac au pied du glacier. Au milieu de ces montagnards charmants et si accueillants, tu te sens à l'aise comme une jeune fille. Tu as envie de te blottir. Tu chavires devant tant de prévenance. C'est la magie de la montagne avec son climat si rude. Ils ont compris qu'il faut jouir de chaque instant. Car quelques minutes plus tard, tout peut basculer. Chaque rocher peut entraîner une avalanche et un alpage disparaître.

La montagne te réveille. L'altitude te rend la vue. Tu avais perdu la route. Ce n'est que lorsque tu retrouves ton chemin que tu sais où tu t'es arrêtée. À la fin de la semaine, avec Jérôme, vous êtes comme des amis d'enfance. Comme si vous aviez trait les vaches ensemble. Et sur les télésièges, face aux perspectives infinies, vous vous sentez unis devant ce décor qui ne cache pas ses conflits. Là où la vie et la mort ne font vraiment qu'un. Tout est lié sans ambiguïté, sans hypocrisie. Tous ces efforts te font reprendre contact avec toi-même. Avec des muscles dont tu as jusque-là ignoré l'existence. Avec ce qui ne sera pas possible. Tu ressens un vide qui te donne le vertige.

22.

La montagne comme la mer ne pardonnent pas. Elles tuent et n'épargnent personne. Un malencontreux éboulement, une chute, un quelconque accident peut prendre des proportions mortelles. Un virage serré, une bosse, une fixation qui lâche, un débutant qui n'arrive plus s'arrêter, une plaque de glace, une seconde d'inattention. Et demain, tu peux ne plus être parmi les tiens. Tout t'approche de l'hostilité de la montagne. Il ne sert à rien de prier. Face à la montagne comme devant la mer, on ne plaisante pas avec l'immensité. La vie donne le vertige avec ses perspectives infinies. Pour ces derniers espaces de liberté dans ce monde entièrement contrôlé. Tu ne peux que leur dédier ta vie. Et Dieu t'en remerciera.

23.

Samedi soir, une fondue et une descente de luges sont organisées par l'école pour sympathiser et casser la glace. Entre les nouveaux et les anciens, c'est grâce aux filles que le mélange se fera. Vous êtes le liant. Même si vous n'êtes pas très nombreuses. L'ambiance se réchauffe, les bouteilles se vident. Tu es assise à une table où l'on parle anglais. À tes côtés, il y a un Suédois, deux Anglais et un Australien. Des sportifs qui, même lorsqu'ils ne travaillent pas, ne parlent que de ski. Certains chantent en essayant en vain de retrouver différents refrains. Les autres se perdent dans des explications sans fin. Tu te retrouves dans une odeur de colonie. La descente en luge se passe sans surprise. Sans accident. Ensuite, vous vous rendez au pub du Mont-Fort, le pub par excellence bourré d'individus bourrés. Au bar, tu bois un *kikback*. Et tu te demandes ce que tu fais là. Une fille vient vers toi. Tu l'as déjà vue. Elle travaille au bureau de l'école. Ses yeux pétillent. Elle s'appelle Emma. Elle vient des Franches Montagnes. C'est aussi sa première saison. Elle t'a vue plusieurs fois avec ton chien qu'elle trouve magnifique. Elle te demande comment tu t'en sors. Comment tu supportes. Elle te dit, tu sais qu'avec des yeux comme les tiens, je vois ce que tu caches et ça me trouble ! Elle continue son chemin. Tu restes la bouche ouverte. Qu'a-t-elle voulu dire ? Tu l'observes en train de se faire draguer par un beau moniteur. Vous avez cinq mois devant vous pour que les couples se fassent et se défassent.

24.

Tes premiers clients arrivent avec les premiers vacanciers. Ceux dont tu te souviendras longtemps. Premier jour, premier groupe. Tu as droit à des adultes débutants. Ils ont entre vingt et cinquante ans. Beaucoup d'Anglais. Et pour eux, il pleut. Tu partages ton groupe avec un autre moniteur. Il se prend pour le chef parce que, depuis six mois, il a sa patente. Tu ne comptes plus les remarques désobligeantes. Ni les coups de gueule. Tu es paralysée et tu ne sais pas quoi faire. Tu parles trop vite alors que tes clients crèvent de trouille. Et tu les retrouveras tous les matins de la semaine.

Dès le troisième jour, contre toute attente, le fœhn dégage le ciel. La neige est lourde. Et tu ne fais que du chasse-neige. À la fin de la semaine, ils arrivent tous à glisser. Pour ce qui est de s'arrêter, les récalcitrants se laissent tomber avant de prendre trop de vitesse. Une fois par terre, ils ne sont plus capables de se relever. Les skis fixés aux pieds, ils attendent que tu viennes les aider. Pour leur faire comprendre qu'ils doivent plier les genoux, la première image qui t'est venue à l'esprit est d'imaginer qu'ils sont aux toilettes. Ils n'ont pas trouvé ça très drôle.

25.

L'après-midi, c'est le tour des enfants. Au sommet des pistes, tu transpires en les regardant glisser sur les plaques de glace. Tu as de la chance avec ton groupe. Les enfants sont adorables. Avec leurs regards tendres ou espiègles, ils te racontent des histoires merveilleuses. Beaucoup de ruses pour être plus proches de toi. Ils inventent. Ils éclatent de rire et ne peuvent plus s'arrêter. Devant de tels visages, tu oublies ta fatigue et tes petits malheurs. Et puis, quelques instants plus tard, au milieu d'une descente, revirement de situation, un enfant pleure. Il vient de faire pipi dans sa salopette. Tu prends l'habitude de remplir tes poches de bonbons. Les Sugus ont toujours la cote. Dans les grands jours, les enfants sont des hommes qui ont besoin d'être réconfortés.

Anna a mis ses chaussures à l'envers. Elle a quand même réussi à marcher pour prendre le téléphérique. Tu l'assieds dans la neige. Et tout le groupe rigole.

Charlotte et Olivia. Deux jeunes Anglaises de bonne famille qui s'ennuient pendant leurs vacances. Une fois les parents partis, elles ne cessent de parler et s'amusent à s'arrêter le plus près de toi *en faisant de la mousse.* En fin de journée, tu en profites pour descendre une piste noire. Grisées par le vent et par l'envie d'enfreindre quelques codes familiaux, les voilà parties vers d'autres horizons.

Kim, un jeune sourd de dix ans, rejoint le groupe. Tu préfères qu'il reste juste derrière toi. Les enfants ne comprennent pas. Après quelques mises au point, l'ambiance reste un peu tendue. Kim lit sur tes lèvres avec une telle facilité que tu en es fascinée. S'il te regarde, il entend. Et toi, tu comprends presque tout ce qu'il te dit avec sa voix qu'il n'entend pas. Par contre, pour lui dire de s'arrêter au milieu d'une descente, tu peux toujours courir.

Le soir, le ciel est en feu. Les nuages brûlent. Pas un souffle de vent. Tu es raide. Contente de retrouver Largo. Il est resté tout seul attaché à sa laisse. Tout s'est bien passé. Aucun voisin pour te faire une remarque.

Une fois dans ton lit, tu réalises que tu t'attaches beaucoup à ces enfants que tu ne reverras certainement pas. Tu te comportes comme si tu voulais devenir leur meilleure amie. C'est vrai. Tu as le contact facile avec des inconnus. Et tu es insupportable quand tu aimes.

26.

L'ambiance commence de se réchauffer. C'est Noël. Vous vous reconnaissez. Vendredi, c'est la journée du test pour les enfants. Tu marques le nom de chacun sur des petits cartons jaunes et tu coches la case « candidat ». Personne n'est à la hauteur. Ils sont déçus mais ils comprennent. Ils ont cinq ans et le temps de passer à un niveau supérieur. Vous redescendez en téléphérique et, dans la cabine, vous mangez des gaufrettes au chocolat. Ensuite, tu as droit aux regards inquiets des parents impatients. La plupart s'en fichent. Dieu merci. Mais il y a les autres... Tu comprends pourquoi le vendredi est la hantise des profs de ski. Sur le chemin du retour, tu croises Sophie. Tu lui parles du comportement insensé des parents. Elle t'informe que tous les candidats reçoivent une médaille, même les plus mauvais ! Évidemment, avec ce qu'ils paient...

27.

Déjà trois semaines de travail derrière toi. Ce soir, tu es ravie de n'avoir rien à faire. Personne à qui parler. Ne pas faire la cuisine. Ne pas faire la vaisselle. Hier, après le ski, l'école offrait du vin chaud sur la place du village. Il y avait beaucoup de *tomates rouges*, comme les enfants vous appellent. L'ambiance pour une fois était bonne. Tu retrouves enfin le groupe avec qui tu t'es entraînée. Tu bois des verres avec Jérôme et Sophie. Vous vous racontez votre semaine. Et vous êtes contents de vous voir. Même si Jérôme est distant. À cause des autres ? Tu fais comme si tu ne voyais rien. Et tu ne montres rien. Avec Sophie, tu parles de l'uniforme. Vous ne vous imaginiez pas son impact. Dorénavant, tu représentes l'image flamboyante de la Suisse, une image de sécurité et de protection.

Les clients ont très vite confiance en toi. Et c'est très agréable. C'est certain. C'est la récompense de ton dévouement. Et leur reconnaissance se lit sur leur visage. Tu ne connais que leur prénom. Tu ne sais pas qui est avec qui. Dans le sport, et pendant l'effort, tu n'entends jamais *mon amour* ou *mon chéri*. Ils laissent ce genre de confidence au vestiaire. Méconnaissables derrière leurs bonnets de laine et les lunettes de brouillard, ils sont ici pour apprendre. Ils sont en train d'accomplir quelque chose d'extraordinaire. Et tu es leur unique témoin. Quel spectacle magnifique. Ils s'appliquent. Ils transpirent. Et certains ne rigolent pas du tout. La journée passe très vite. Le record, cette semaine, est détenu par trois femmes. Deux heures et demie pour faire une piste bleue qui, en principe, demande à peine une minute. Pour un grand boulevard plat. Trois claqueuses de dents, trois paires d'yeux rouges paralysées par le danger. Une fois assises sur le télésiège, prises de vertige, elles se sont mises à hurler.

Tu arrives en retard à la cantine des enfants pour servir et faire un peu de discipline.

28.

Assise dehors, appuyée contre la façade ensoleillée du chalet. Tu te protèges de tes sentiments. Même s'ils te rendent encore plus vivante. Une partie de toi s'efface. En deviens-tu plus libre ? Il ne tient qu'à toi de faire les bons choix. Devant toi, la lumière de la nuit envahit les montagnes. Les étoiles percent le ciel. Et la Grande Ourse te fixe, elle qui ne peut jamais se coucher derrière l'horizon. Ton esprit s'envole et tu te réfugies dans ses bras.

C'est l'histoire de Callisto, la plus belle des nymphes. Alors que Zeus avait transformé son père en loup parce qu'il lui avait servi de la chair humaine, Callisto s'était réfugiée dans la solitude de la forêt auprès d'Artémis, se vouant à la chasse et à la chasteté. Par sa beauté, elle devint la plus aimée d'Artémis avec qui elle vécut en paix. Zeus tomba éperdument amoureux de Callisto qui résista quelque temps. Mais après tant d'avances répétées, elle céda. Comme quoi aucune faveur ne dure vraiment. Callisto se sentit coupable et garda le silence. Mais quelques mois plus tard, les nymphes s'aperçurent de l'outrage qu'elle avait subi. Et même si son amant était divin, elles la chassèrent de leur groupe. Callisto se cacha alors dans les bois et mit seule au monde un fils qu'elle appela Arcas.

Héra, la femme de Zeus, fut indignée. Non seulement Zeus l'avait trompée, mais il avait un fils qui divulguait au grand jour sa faute honteuse. Héra, pleine de jalousie, se vengea. Elle voulait anéantir la beauté de Callisto, grâce à laquelle elle avait charmé son époux, en la transformant en ours. Les bras et les jambes de Callisto commencèrent à se hérisser de poils. Ses mains se courbèrent et se prolongèrent de griffes. Sa bouche s'élargit sous la forme hideuse d'une gueule. Et la parole lui fut ôtée pour qu'elle ne puisse plus prier. Et susciter ainsi la pitié. Elle erra devant son ancienne demeure sans pouvoir y entrer. Autrefois si intrépide, elle était à son tour poursuivie par les chasseurs ! Elle n'osa plus se reposer dans la forêt. Elle dut également se cacher des animaux sauvages. Ourse, elle trembla devant les ours. Elle redouta les loups quoique son père fût du nombre. Des années plus tard, errant dans la forêt, elle tomba nez à nez avec son fils. Oubliant son apparence, Callisto se précipita vers lui pour le serrer dans ses bras. Mais Arcas l'attendait de pied ferme avec son javelot. Zeus blessa alors Callisto avant que le fils ne tue sa propre mère. Et Callisto fut placée parmi les étoiles en hommage à sa beauté. Son fils la rejoignit plus tard, en une copie conforme mais au format réduit. La rancunière Héra alla plaider sa cause auprès de Poséidon qu'elle persuada de ne pas recevoir Callisto dans sa mer. Depuis, la Grande Ourse tourne autour du pôle sans jamais pouvoir se coucher et se reposer dans les eaux de l'océan.

29.

Ceux qui le désirent ont droit à un nouvel entraînement. Un complément pour améliorer sa technique en
pratiquant un slalom géant. Tu adores encore davantage la vitesse. Tu n'as rien à perdre. Tu te laisses aller
et tu fonces. La conduite en ski est la même qu'en
voiture, il faut anticiper et contrôler sa vitesse. Les sus-
pensions sont tes genoux. Les portes à franchir sont
comme des débuts et des fins de tunnel. Gare aux déra-
pages, le choc pourrait être violent. Tu glisses et tu te
sens bien. Le sport est jouissif. Cet environnement
blanc te sied à merveille. Le brouillard cache toujours
la plaine. Tu survoles sans attache, sans détour. Et tu
fais le meilleur chrono. Il n'y a que la technique et la
fougue qui paient. On ne peut contredire une performance physique. Tu gagnes en respect. Ton ski parle
à ta place. Les mots deviennent lassants. Qui l'aurait
cru. Le sport te donne des ailes.

30.

La vie est un slalom. Un spécial. Un géant. La vie est une course contre la mort. Une perpétuelle surprise. Se baisser, se lever. Continuer. Sans jamais se retourner. Rebondir après chaque virage.

Autrefois, il fallait contraindre les skis. Les tordre. Les manipuler. Les forcer à n'importe quel prix pour tourner, tourner, et encore tourner jusqu'à s'arrêter.

Aujourd'hui, tout est une question de position. Les épaules et le regard face au danger pour éviter de tomber. La manière crée la différence. La vitesse en expansion. La vie est rapide. Inconstante. Trépidante ou ennuyante. Chaque jour, différente. Dans une perpétuelle logique des contraires.

31.

À l'intérieur du chalet, Largo est calme et silencieux. Mais cette nuit, il t'a réveillée trois fois. Comme s'il s'assurait que tu n'étais pas partie. Il te lèche le visage. Et tes rêves sont mouillés. Ce matin, tu es en retard. Et Largo qui ne revient pas. Tu attends. Tu n'as pas le temps de déjeuner.

Sur la grande place et par tous les temps, le kiosque de Francine est ouvert. Chaque année, pendant cinq mois. Depuis vingt-quatre hivers. Elle vient du Sud. Elle n'aime pas le froid. Le ski ne l'intéresse pas. Elle n'a, d'ailleurs, jamais skié.

Tu as juste le temps de prendre un café. Tu bois un *renversé*. Vous parlez de vos chiens. Elle a un pointer. Elle se demande de quelle race est le tien, un lévrier ? Non, un vizsla. Elle le trouve trop maigre.

En été, elle travaille à La Providence, une maison de retraite. Tu n'es pas surprise. Une infirmière. Elles ont ce petit truc en plus. Cette étincelle dans les yeux face à la douleur de l'autre. La compassion qui déborde. Leur compréhension te donne la chair de poule.

Tu te rends à ton rendez-vous. Red bull et croissant dans la télécabine. La caféine te réveille à temps. Et tu brilles en glissant au sommet des sapins.

32.

Au bureau de l'école de ski, tu rencontres Vincent. Un garçon charmant. Avec ses yeux bleus irradiés. Il vient de la vallée et habite le village juste en dessous de Verbier. Il te pose tout de suite les questions qui lui permettent de te situer. Pas besoin de te croiser pendant une semaine en t'évitant cordialement. L'étiquette est vite mise. D'où viens-tu ? Je ne t'ai jamais vue ! Tu viens de commencer ? Non, je suis là depuis le début. Tu as quelle classe ? Tu as quel âge ? Et toi ? Je suis aussi là pour toute la saison.

À chaque fois que tu le croiseras sur les pistes, il s'arrangera pour te faire un bel hélico, l'air de rien. C'est le meilleur skieur que tu aies jamais vu ! Il faudra que tu organises un repas avec Emma, Sophie, Vincent et Jérôme. C'est vrai, tu ne vois personne. Quand tu rentres chez toi, tu es tellement fatiguée que la meilleure activité reste la télévision. Reprendrais-tu tes habitudes de citadine ?

33.

La neige recouvre enfin les routes. Les chemins sont poudrés comme le visage d'une geisha. Le ciel est inépuisable.

La semaine suivante, la cohésion dans le groupe de niveau un n'a pas pris. Tu en es certainement responsable. Mais, voilà, comment apprendre simultanément à skier à des enfants qui ont de quatre à neuf ans. Leur rythme est complètement différent ainsi que leur endurance. Tu commets quelques erreurs. Oubliant qu'un enfant qui pleure, ce n'est pas seulement qu'il a besoin d'aller aux toilettes, qu'il est fatigué, que ses jambes lui font mal, que ses mains sont gelées à force de se relever, qu'il en a marre de skier, qu'il a peur dans le brouillard. Non, c'est un mélange de toutes ces peurs.

34.

Tu fais des rêves où tu es habillée de blanc. Entièrement en blanc. Aucune autre couleur. Tu rêves de
neige. Tes souliers se remplissent de glace. Tu te sens
lourde. Dans ce paysage de duvet, on ne te distingue
pas avec tes habits blancs. Couchée sur le côté, tu as
l'impression de manquer de souffle. Sur le dos, tes
épaules en arrière, la nuque bloquée par l'oreiller, tu
sens en toi la neige monter. Elle se propage par les
pieds, atteindra certainement ta tête. Tu deviens limp-
ide. Et ton visage ressemble à celui d'un bonhomme
de neige.

35.

Un mois s'est déjà écoulé. Le quotidien t'exténue et avec lui l'effervescence de la station. Vincent tourbillonne toujours autant mais tout seul. Et tu ne vois presque plus Jérôme. Vous vous croisez. Vous avez trop de travail et plus assez de temps de libre. Tu te sens seule. Et comme tu t'interdis de trop penser à Jérôme, c'est Paul qui hante ton repos. Paul te manque. Votre vie. Votre complicité. Tu aimerais l'entendre mais tu n'oses pas lui laisser de message sur son répondeur. Même pas pour Noël. Ni pour la fin de l'année. Tu sais qu'il ne te rappellera pas. Il t'a dit de l'oublier. Comme lui t'oublie. Il est désormais si loin, pourtant encore si proche.

prime. Tu n'avais plus envie. Tu te
attirée comme dans le conflit d'une Déesse d'algèbre.

36.

C'était si romantique. Tu étais si jolie. Il y avait
tellement de monde qui discutait un verre à la main
que tu es entrée dans cette galerie. Tu as été immédia-
tement hypnotisée par ce que tu voyais. Tu étais
proche du dégoût. Proche de l'écœurement. Beaucoup
d'émotions devant cette peinture qui dégoulinait. Tu
débordais. Incapable de canaliser ton bouleversement.
Alors que tu étais perdue dans tes zones d'ombre, un
homme t'avait souri. Tu avais gardé le silence. Juste
avant de sortir de la galerie, cet homme était venu vers
toi te donner un morceau de papier chiffonné. Un
numéro de téléphone était inscrit.

— Si vous ne savez pas quoi faire demain, ou les
jours suivants..., t'avait-il dit.

Quelques semaines plus tard, tandis que Londres
commençait à t'ennuyer et que tu ne savais plus quoi
faire de tes journées, tu t'étais décidée à l'appeler.
Inconsciente que ce geste allait modifier les huit prochaines années de ta vie. Tu avais vingt-six ans et ce fut
le début d'une histoire d'amour. Les toiles qui t'avaient
envahie avaient été faites par ses mains. Paul était

peintre. Et pas n'importe quel peintre. Un de ces artistes connus dans le monde entier. Pleine d'admiration et de fascination, tu te laissas envahir par cet homme plus âgé que toi. Il t'emmena avec tact et délicatesse dans des rues qui t'étaient jusque-là inconnues et Londres dévoila enfin sa sympathie. Très vite, tu habitas chez lui. Dans une magnifique maison avec un hall d'entrée fabuleux. Les volumes étaient énormes. Il y avait beaucoup de place, beaucoup de chambres. Des couloirs infinis. Tu fus heureuse dans ce palais aux plafonds inatteignables.

Tout était conçu pour Paul et son travail. Pour ses heures d'insomnies, pour sa rage, pour ses délires. Il se foutait de la lumière naturelle. Peu importait. Si une peinture était bonne, elle transcendait la lumière dans laquelle elle avait été créée. Il préférait travailler la nuit. Échapper à la routine. Paul se déchaînait beaucoup. Comme un chat qui chasse la nuit et se repose le jour. Il devenait inerte dès que le soleil se levait. Il éprouvait un constant besoin de construire, de déconstruire, de superposer. Et surtout d'énormément détruire. Derrière chaque toile une histoire complexe s'écrivait presque à son insu. Dans sa tête et par ses yeux. Comme un récit ou le début d'un roman. Il écrivait. Déchirait.

Il avait un assistant technique qui préparait les châssis et tendait les toiles. Une fois prêtes, il les disposait dans chacune des pièces du rez-de-chaussée. Une par chambre. Comme une immense page vierge. Un espace blanc prêt à recevoir. Les pots de peinture étaient réunis sur les rayons d'un chariot à roulettes. Cet étage ressemblait à une clinique. Un séjour dans les couleurs et dans les odeurs d'huile de lin. Chaque toile restait étendue de longs mois dans sa cellule, élevée au centre de la pièce comme un prodigieux crucifix. Comme un locataire défunt. Paul travaillait sans relâche. Toutes les nuits. Tous les jours.

La maison baignait dans le mystère de la création, dans le silence qui précède une explosion. À peine avait-il terminé une toile qu'elle était déjà vendue. Paul avait un charisme prodigieux. Une force stupéfiante émanait de lui. Il paraissait grand alors qu'il était petit. Il était imprévisible, caractériel. Il pouvait s'acharner contre n'importe qui. Évidemment son assistant en prenait pour son grade. Mais c'était un honneur de partager son intimité. En général, ses assistants tenaient au maximum une année. Si une exposition était planifiée, l'assistant qui devait se charger de l'emballage des toiles et d'aider Paul à l'accrochage partait en courant tout de suite après le vernissage. Heureusement qu'il ne faisait pas plus d'une exposition tous les trois ou quatre ans. Comme tout artiste, Paul était peu sûr de lui, mais il savait se cacher derrière sa violence. Dans ces moments de perdition où, pour justement se sentir en vie, il se comportait comme un monstre. Il buvait, il fumait, accro aux pilules, aux stimulants, aux up, aux downs. Une rage sans fin émanait de lui. La lave du volcan sommeillait. Prête à jaillir. Et, sans avertissement, débordait. Il n'y avait rien à comprendre. Son incohérence était son génie. Sa marque de fabrication. Avec toi, il était adorable, si tu jouais son jeu. Évidemment. Si tu voulais un tant soit peu la paix, il fallait que tu sois toujours de son avis. Au début de votre liaison, tu te permettais de dire ce que tu pensais. Directement. Sans faire attention. Il en allait de ta fierté.

Paul devait toujours avoir le dernier mot. À n'importe quel prix. Il aimait argumenter, des heures durant. Il adorait s'écouter parler. Il était très doué pour raconter des histoires. Invraisemblables. Il avait besoin de sentir que son audience était hors d'haleine. Toi, après quelques séances verbales, tu te fatiguais et préférais lire en paix. Paul avait toujours raison. Il suffisait de le savoir.

37.

Le téléphone sonne. C'est Pierre. L'ami qui te loue le studio t'annonce qu'il vient passer quelques semaines dans son chalet. Il te demande de mettre en route le chauffage. Il ne veut plus rester en ville. Il déprime sous le brouillard. Mais il se sent suffisamment fort pour interrompre son traitement. Il a besoin de quitter cette clinique. Il veut profiter de la montagne. S'aérer la tête et faire du sport. Et du fait que tu es là. Mais ça, il ne le dit pas.

Tu détestes le réveillon, parce que tu crois encore aux perpétuelles résolutions. Pas un devoir. Un besoin proche d'un rite. Une échéance annuelle au prétexte motivé par cette date qu'il ne faut pas laisser sans échos. Le compte à rebours commence profitant de minuit. Entre la transformation du carrosse, le réveil des démons et les esprits qui hanteront tes lamentations, il y a de quoi être terrorisée. Même à trente-quatre ans.

Tu passeras certainement la soirée avec Pierre. Bien qu'avec lui, rien ne soit jamais sûr. Entre sa femme, ses enfants et Sophie, sa maîtresse, il aura l'embarras du choix. Tu verras bien s'il débarque ce soir comme il te l'a annoncé au téléphone. Et surtout s'il reste quatre semaines. C'est encore une autre histoire. Ce qui est sûr, c'est que ton planning de la semaine t'indique que tu ne travailleras pas le matin du premier jour de l'année. Dieu et sa grande Clémence, merci ! Le premier rendez-vous sur les pistes est fixé à quatorze heures. Les clients sont prévoyants. Tu demandes tout de suite à la secrétaire de te bloquer définitivement la matinée.

La journée terminée, tu marches comme un robot. Tu as encore oublié tes tennis pour épargner ce retour à tes genoux. Ta tête est bien pleine après cette journée de travail. Un cours privé à la place de la pause déjeuner, tu as mangé ton sandwich sur le télésiège. Même pas le temps de boire un café. Sur le chemin du retour, tu penses à ce soir, à demain, à ces prochains jours. Et à tout ce qui ne va pas changer. Devant le chalet, tu vois la voiture de Pierre. Il est là. Pour sa cure de sommeil et d'air frais. Dehors, Largo t'a bouffé une chaussure. C'est bien la première fois qu'il la met en pièces. En principe, il se contente de les déplacer et de les arranger autour de lui, question d'odeur et de présence.

Pierre est mal en point. Tu lui proposes, en lui forçant un peu la main, d'aller vous promener. Il préfère boire un verre pour se calmer. Il a apporté une bouteille de champagne. Vous buvez. Vous parlez peu. Il est temps pour toi de sortir. La promenade lui semble surréaliste alors tu pars seule avec Largo. Comme tu n'as pas eu le temps de faire les courses, tu lui proposes d'aller manger dehors. Pierre n'a pas faim. Juste un petit truc. Il se sentira mieux. Il n'a rien mangé depuis trois jours. Très bien. Tu appelles le japonais, complet. Une pizza ? ça ne lui dit rien. Il ne vous reste plus qu'à descendre au village. N'importe où. Ça t'est égal. Il veut manger un steak de kangourou. Sauter un peu. Alléger l'atmosphère. Sans réservation, difficile de trouver autre chose qu'une raclette ou une fondue. Vous trouvez enfin une table libre pour manger un steak tartare.

38.

Tu venais de fêter tes vingt-cinq ans, lorsque tu as rencontré Pierre, un mardi soir à La Trace. Le seul club de Lausanne ouvert toutes les nuits de la semaine. Une jolie plaque tournante pour des rencontres fortuites. Vous avez été amants. Pas longtemps. Une semaine tout au plus. Pierre avait un problème de dépendance. D'alcool, de cocaïne et d'argent. Tous les trois, il les aimait trop.

Vous avez beaucoup parlé, partagé, refait le monde. Vous aviez surtout soif de paradis artificiels. Il était drôle. Juste un peu stressant. Quand il rencontra Sophie, sa nouvelle conquête, tu l'avais hébergé chez toi. Ce qui n'avait pas été de tout repos. Sa femme devint hystérique. Proche d'une attaque d'apoplexie, elle n'arrêtait pas d'appeler et de laisser des messages. Tu n'as pas compté les kilomètres d'obscénités enregistrés. Fatiguée par tant d'hallucinations, tu avais débranché le téléphone. Tu as eu droit aux débarquements. Tout compte fait, tu ne savais plus ce que tu préférais. Tu as tenu deux mois, ensuite tu as quitté cet appartement pour ne jamais y revenir. Et vous vous êtes perdus de vue.

Il s'était plaint que tu n'utilisais pas d'adoucissant pour la lessive. Il est retourné chez sa femme puisqu'il n'était pas capable de se débrouiller avec son linge. De l'eau a coulé sous les ponts, des années aussi. Mais derrière son regard, tu te prépares à entendre ce qu'il pourrait encore te reprocher. Quand l'adoucissant devient le propos d'un tel manque, c'est que sa vie, à l'époque déjà, était bien rêche. Comme il a les moyens, il ne s'est privé de rien. Il a tout pris et tout essayé. Des cliniques les plus chères aux plus confortables. Chambre avec vue sur le lac pour ne pas se sentir isolé. Centre de thalassothérapie pour une durée indéterminée. Ensuite, ce furent les suites dans les palaces profitant du service de chambre. Toujours incapable de s'occuper de son linge. À force de péter trop souvent dans la soie, on glisse.

Tu profites de cette première soirée pour passer un pacte. Entre amis, après tout ce que vous avez enduré, c'est le moins que tu puisses faire. Pour se serrer les coudes. Pour qu'il ne pense plus uniquement à lui. Tu t'en es sortie. Il le peut aussi. Il est parfois plus facile de tenir une promesse. Puisqu'il veut arrêter. Autant en profiter. Tu lui fais confiance. Il y arrivera. Ce sera la bonne même si tu ne peux jamais rien prévoir. Tu laisses la porte ouverte et vous échangez des regards.

Une fois dehors, il fait tellement froid que tu attrapes la mort. Tu cours en te débattant pour arriver vivante à la voiture. Retour au chalet. Retour à l'intimité. Pierre te demande s'il peut rester. Ne pas être seul à l'étage. Tu vas dans ta chambre. Tu ouvres la fenêtre. L'air glacial s'engouffre. Tu t'enroules dans le duvet. Tu entends Pierre dans la cuisine. Tu n'arrives pas à t'endormir. Trop d'images dans la tête. Et le passé qui se roule et se déroule...

39.

Le reste de la semaine, tu n'as pas une minute. Tu travailles dur. Les températures chutent. La neige n'arrête pas de tomber. Il faut ruser pour motiver à chaque instant les enfants. Une fois rentrée, tu trouves Largo dehors, attaché à sa corde, et le bordel règne à l'intérieur. Et Pierre qui ne profite même pas de son appartement. Pierre continue de se plaindre que le frigo est vide. Il commence à te prendre la tête. Si seulement tu pouvais être seule. Il est toujours là. Devant toi. Il ne fait rien. Et il se plaint. Tu gardes le silence. Plus les jours passent et moins tu résistes à son chantage affectif. Sera-t-il capable de rester honnête et de rester vivant ?

Tu reçois un message sur ton portable. C'est Jean. Tu l'as complètement oublié. Le mois dernier te semble déjà une éternité. Paris est si loin. Tu le rappelles. Sa voix te réconforte. Tu lui racontes ta nouvelle vie. Et il désire venir.

40.

C'était un soir de novembre. Tu profitais d'un dernier week-end à Paris, avant de rentrer en Suisse. Le ciel était triste, sombre, même si des milliers de flocons tentaient péniblement d'éclairer ton chemin.

Lors d'un dîner, chez un ami que tu n'avais pas revu depuis plus de trois ans, au milieu des invités, un homme t'intrigua. Il s'appelait Jean. Un antiquaire retiré depuis peu dans sa dernière acquisition, une belle demeure des environs de Toulouse. Une fois à table, tu étais heureusement assise à ses côtés. Le champagne t'aida à te décontracter. Tu parlas surtout avec lui. Et principalement de sport. Il était fou d'escalade ! Il en avait fait pendant une vingtaine d'années. Mais depuis une chute qui lui avait coûté son genou gauche et son épaule droite, il ne pouvait plus améliorer ses exploits. Le sujet tourna très vite autour des prochaines vacances. Quand tu lui dis que tu partais cinq mois à la montagne comme monitrice de ski, il te raconta que cela faisait déjà quatre saisons qu'il n'avait pas skié. Il prenait soin de son genou en faisant du vélo. Tu ne savais pas exactement pourquoi mais il te plaisait. Ses expressions, ses yeux remplis d'enthousiasme dès qu'il parlait de nature, sa simplicité, son élégance. Tu étais troublée. La force d'un homme est dans son attitude. Et son comportement te paraissait plein de cran. Vous vous êtes quittés en vous disant que vous pourriez vous retrouver à Verbier. Dans le taxi, en rentrant à l'hôtel, une certaine nostalgie remontait à la surface. Paris, il n'y avait que Paris, tant de souvenirs ici, tant d'histoires, tout un trajet de vie, d'amis et de rencontres. Tant de soirées à marcher le long des quais. Tout un parcours qui ne pouvait être pris à rebours. Tu regardais les avenues défiler. Le vent secouait les décorations de Noël et les façades tremblaient.

41.

Après le coup de fil, tu te retrouves face à Pierre. Tu n'as qu'une envie : disparaître et rejoindre Jean, ton beau faiseur d'occasions !

Pierre est de plus en plus bizarre. Il ne se lave plus. Il ne te raconte pas comment il passe ses journées. Il est incapable de promener le chien. Ce n'est pas la première fois que tu te retrouves dans ce genre de situation. Mais il est dur de résister. Car il est très fort. Il est le premier à te parler d'empathie, de pardon, et à s'excuser toute la journée. Il est un pauvre martyr incompris. Ta patience est mise à rude épreuve. Tu te montres compréhensive tout en restant un glaçon. Il te cache l'essentiel, jouant le jeu à la perfection. Avec détermination. Il a fatigué plus d'un médecin. Il brouille les cartes. Il te raconte qu'on lui a cassé son rétroviseur. Une marche arrière malencontreuse. Il doit appeler les flics. Bien sûr. Leur montrer les dégâts. Évidemment. Pour ce qui est des assurances, il les a toutes. Comment profiter et utiliser le système. C'est un as. Devant un tel matérialisme, tu n'as qu'une envie, hurler pour ne plus l'entendre. Alors tu te couches en fermant ta porte à clé.

42.

Ce soir, c'est le réveillon. La semaine touche enfin à
sa fin. Que de joie rayonne dans ton cœur ! Tu es
anéantie avant même que la fête commence. Tu te sens
exterminée, étouffée. Tu n'as même pas la force d'aller
boire un verre avec Sophie ou Jérôme. Tu n'oublieras
pas ta dernière journée de travail de l'année. Les
enfants t'ont énervée au plus haut point. C'est sûr, tu
ne devais pas être très drôle. Une journée où tu t'es
faite manger toute crue ! Tu leur en as trop demandé.
Tu n'es décidément pas très douée. Vous arrivez avec
trois quarts d'heure de retard. Les parents ont de quoi
être soucieux. Certains ont bien vu que tu n'en pouvais
plus. Le responsable de l'école te prend à part et exige
des explications. Ton attitude est jugée inadmissible.
Le temps de la remontrance, il n'y a plus de bus pour
rentrer au chalet.

Une fois devant le chalet, tu n'as aucune envie de
rentrer. Tu joues avec Largo. Une bataille de boules de
neige qui a de la peine à effacer son regard troublé.
Pierre, à l'intérieur, torse nu dans la cuisine, est pendu
au téléphone. Aucune fenêtre n'a été ouverte. Et une
odeur nauséabonde te prend à la gorge. Un mélange

de transpiration, de fumée douteuse. Tu l'observes, sans rien dire, sachant qu'il ne te dira rien non plus. Tu n'as droit qu'à son regard de chien battu. Tu claques la porte de la salle de bains en lui criant qu'il dépasse les bornes et que tu aimerais être seule !

Tu sens que quelque chose se trame. Une tentative de suicide. Il a déjà fait ce chantage une bonne centaine de fois. Alors pas de quoi s'inquiéter. La soirée sera longue. Et les surprises en nombre. Après ton bain, tu décides de partir boire un verre. Malheureusement Jérôme n'est déjà plus au pub. Ton téléphone sonne. C'est Pierre. Il veut te rejoindre. C'est hors de question ! Tu lui donnes rendez-vous dans un autre bar. Tu arrives avec une bonne heure de retard. Pierre est avachi au comptoir l'air défait. Les cheveux en pétard, son pull débraillé, le reste de son âme certainement oublié dans la vallée.

C'est à lui de parler. Tu fumes tranquillement une cigarette. Tu en as marre de ce silence. Qu'a-t-il fait de sa journée. Rien. Tu n'as peut-être déjà que du mépris à lui donner. Tu sais qu'il est retombé. Mais il ne peut pas l'admettre. Il te dit, j'ai peur que tu me juges. Tu lui réponds, depuis quand tu te soucies de ce que je pense ? Il a le cul entre deux histoires. Celle d'avouer qu'il n'a jamais arrêté, ou celle de mentir encore et encore. Il n'est décidément pas prêt. La fin ne sera pas douce. Elle sera vilaine, Sylvaine. Ses paupières sont dures devant son regard déjà vide. Mais que faire ? Tu ne peux pas l'aider à atteindre ce précipice. Le mal-être, le malaise. À l'aide. Les valeurs morales ou physiques se définissent toujours dans l'ennui. Ce qu'il fait n'est pas plus grave que ce que d'autres ne font plus. Il a un besoin constant de tout comparer, alors qu'il n'y a rien à comparer. N'existe que ce qu'il voit. Tu ne peux qu'attendre la chute mortelle de l'ego. Le choix se résume à mourir librement. Ou à vivre en prison.

43.

Pour le 31, Pierre a réservé une table dans le meilleur restaurant. La soirée sera donc gastronomique. Le voyant vaciller, tu lui demandes s'il tient le coup. Il te regarde l'air de te dire : mais pour qui tu te prends. Il est grand, il a plus de quarante ans, marié, deux enfants. Et une entreprise qui coule gentiment. Il nage en plein fantasme de la vie d'une rock star et de ses déboires. Les clients se retournent sur votre passage. Une fois assis, Pierre commande du champagne. Les serveurs t'observent, se demandant sans doute ce que tu fais avec lui. Quand le maître d'hôtel arrive, Pierre veut dépenser une petite fortune pour la dernière soirée de l'année en compagnie de sa meilleure amie. Il arrive à peine à lire la carte. Il engueule le maître d'hôtel qui l'embrouille en essayant de le conseiller. Tu restes de marbre. Le vin est sublime. Les serveurs ne se permettent pas d'intervenir. Il faut le laisser faire. Et tu l'excuseras platement une fois qu'il sera tombé. Après le homard, c'est le tour d'une pièce de bœuf qu'il mange comme un porc. Tu lui en fais la remarque. Il te dit de te taire. Mais le silence n'a rien d'honorant. Soudain sa tête s'évanouit dans les plats. Aucun mot ne sort de sa bouche pleine. Et puis, il devient odieux. Sans limites, le barrage s'effondre. Il se déchire. Dehors tu affiches complet, dedans tu frémis d'horreur. Jusqu'où est-il prêt à aller ? Si sa motivation est de faire un scandale, qu'il se déshabille et qu'il montre son cul à ces vieilles femmes fortunées qui parlent à voix basse. Tout cela est sordide.

Où vas-tu ? Trop tard, tu es déjà dehors. Tu marches. L'air frais te fait du bien. Cette fois, il devra se débrouiller seul. Sa voiture te dépasse, il conduit comme une brute, une voiture arrive en face. Mais à nouveau, sa bonne étoile le protège. Arrivée au chalet, tu prends une douche. Quand tu reviens dans la pièce, Pierre est devant toi. Sans le regarder, tu t'assieds sur le banc et tu allumes une cigarette. Il sort un instant dans le jardin. Quand il rentre, il se cramponne à la table, ses mains recouvertes de sang. Ce ne sont pas ses mains qui saignent. Tu lèves la tête. Il vient de se trancher la gorge avec le couteau de cuisine ! La peau si tendre du cou est sectionnée, laissant s'ouvrir un orifice béant. Le sang ne jaillit pas, il coule gentiment le long de son torse. L'aorte n'est pas touchée. Tu exploses alors dans un monologue sans fin qui t'aide à garder ton sang-froid. La situation est absurde. Tu es hors de toi. Et devant toi, Pierre est d'une lâcheté exemplaire. Livide, figé comme un bonhomme de neige qui sombre dans l'océan feutré d'une moquette beige. Il chavire dans cette ambiance trop chaude. Un coup de théâtre qui ne vaut même pas la peine d'en faire une pièce. Pierre fait son propre cinéma.

44.

Pierre vient de s'évanouir. Tu appelles l'ambulance. On te met en relation avec le médecin du village qui te demande de l'amener. Mais il est bien trop lourd. Et tu refuses de le toucher. Les minutes semblent éternelles. Une flaque de sang s'étire sur la table de la cuisine. Il respire, la tête dans les bras, le couteau toujours dans la main. Rien de mortel dans l'air. Juste spectaculaire. Ils sont venus à deux. La coupure est trop profonde. Ils ne peuvent rien faire et l'emmènent à l'hôpital. Tu restes paralysée. Tu n'es qu'un bloc sans aucune articulation. Qu'est-ce que tu dois faire maintenant ? Tout semble si vide, soudainement immobile. Tu ne veux pas encore appeler sa femme. Tu laisses un message à sa copine. Tu trembles. Tes bras s'agitent sous des secousses électriques. Tu te prépares alors un chocolat chaud et tu vas te coucher. Tu ne dors pas.

Six heures du matin. On frappe violemment à la porte. C'est la police. Pierre ? Mais il est à l'hôpital. Ils entrent. Tu bégaies. Tu leur répètes qu'il n'est pas ici et que son appartement est juste au-dessus. Ils te poussent et débarquent en force. Aucune piste n'est laissée dans le flou. Tu te sens prise en flagrant délit. Tu as trop regardé de séries américaines. Tu les suis. Vous montez les escaliers. Dans la chambre, Pierre est bien là ! Ils le réveillent brutalement. Et sans aucune question, ils l'embarquent menottes aux poings. Pierre s'est échappé. Tu leur demandes où ils l'emmènent. Retour à l'hôpital. Un de leurs collègues te demande si tu es venue le chercher. Sur la table de la cuisine, tu trouves une note de taxi. Les flics fouillent l'appartement. Leur méfiance te rend suspecte. Ils regardent partout. Un des flics sort de la chambre à coucher avec un fusil et un pistolet. Vous êtes au courant ? Tu te sens complice. Et tu brûles.

45.

Tu n'es pas en état de rester dans ce chalet. Tu ne sais pas quoi faire. Tu ne comprends pas son geste. Le suicide ne peut se faire que dans la solitude. Aujourd'hui, les martyres se transforment en monstres. Avec l'idée de faire le plus de bruit en plongeant. Les journaux exigent du fantastique. Même dans la mort, il faut se surpasser. Tu ne veux plus te trouver sur son chemin. Sur le banc, tu fumes et tu attends un signe. Tu attends sept heures que le secrétariat de l'école ouvre pour dire que tu es malade. En fin de matinée, la police téléphone. On t'annonce que Pierre peut sortir. Il sera au chalet dans une heure. Très bien. Mais alors toi. Quoi ? Tu dois partir. Le temps de rassembler ta tête et tes affaires, déjà tu entends Pierre débarquer suivi par deux policiers. Tu n'arrives pas à le regarder dans les yeux. Tu ne vois que son énorme cicatrice, une trentaine de points de suture qui suivent parfaitement le dessous de la mâchoire. Dans quelques années, on ne verra plus rien. La mort a encore plus de surprises que la vie. Il faut cependant en être digne. Tu n'as rien à dire. Dans le silence, tu continues à remplir ta voiture.

Au moment de partir, tu montes chez Pierre pour lui proposer de boire un café. Parler un peu. Voir comment il va. Tu frappes à sa porte. Pas de réponse. Tu entres. L'appartement est dans la nuit la plus totale. Aucun volet n'a été ouvert. Tu allumes. Tu le trouves inconscient sur son lit. Deux bouteilles de vin vides à ses côtés. Des boîtes de médicaments. Tu te précipites sur le téléphone. Tu appelles l'ambulance, la police et le médecin du village. Tu as dû parler tellement fort que Pierre se réveille. Quand il comprend que tu as appelé une nouvelle fois l'ambulance, il se lève et se dirige vers la cuisine. Tu le vois revenir vers toi un couteau à la main. Son regard trahit une haine profonde. Tu te vois déjà pendue au téléphone. Il crie qu'il est hors de question qu'il aille à l'hôpital. Il te menace avec son couteau. Tu lâches le téléphone. Tu lui réponds. Mais qu'est-ce que tu veux que je fasse ? Hein, quoi ? Que je me tire, que je te laisse seul ? Je ne te donne même pas deux minutes. Et tu veux que je vive avec ça sur la conscience ? Non, tu aurais dû y réfléchir avant. Si tu voulais vraiment te supprimer, tu aurais dû le faire tout seul. Sans moi. Et encore moins devant moi. Connard.

Tu réussis à fermer la porte de la chambre. Il frappe. Il cogne. Ensuite c'est le silence. Des pas. Une course. Un sac. Des affaires renversées. Aucun mot. Le bruit d'une porte fermée à clé. Tu attends encore un peu. Tu sors de la chambre. Dans la pénombre, seule un peu de lumière filtre de la salle de bains. Tu en profites pour appeler encore une fois la police qui n'arrive toujours pas. Et dire que tout va se jouer dans les minutes à venir. Hypnotisée, tu regardes les aiguilles de la montre avancer. Aucun bruit ne provient de la salle de bains. Pas d'eau qui coule. Rien. Quelle va être sa décision ? Tu le laisses tranquille, face à sa propre image. Tu ne peux pas rester plus longtemps. C'est beaucoup trop dur. Une simple porte vous sépare et tout un monde vous oppose. Tu sors. Dehors, tu guettes le moindre son. Mais tout ce que tu entends, c'est un groupe de jazz qui joue sur la terrasse d'un hôtel. Dix minutes plus tard, tout le monde arrive. Les ambulanciers, les gendarmes, la police, le médecin. Ils forcent la porte de la salle de bains. Cette fois l'aorte a été sectionnée.

Chacun rentre chez soi, les sirènes deviennent muettes, juste quelques éclats bleus au loin qui rythment le paysage. Tu n'entends plus rien, juste le jazz qui prend le dessus, petit à petit.

46.

Dans ta tête, c'est comme une chute d'eau qui se dégèle. Une image figée à jamais. Tu ne pleures pas. Mais des larmes coulent. Tes nerfs se défont de toute cette emprise. Tout n'est que méprise. Tu t'effondres. Tes épaules s'agitent sous le vent. Et l'air frais te réchauffe.

Pierre est parti. La neige tente de l'effacer. Tu te crois dans une peinture. Un voyage sur une toile qui enlace d'un même trait les pleins et les creux. Quelques bribes de brouillard pour magnifier l'ensemble. Ces montagnes te transforment. Tu te surprends à prier. Et dans le fond, derrière chaque sommet, derrière chaque virage, chaque pierrier, chaque ruisseau, chaque cascade, même derrière le vent, la neige est éternelle. Le visage entre tes mains, ton regard absent, comme si tu cherchais en vain une ligne d'horizon pour te réconforter. Tout provoque un amusement nerveux mélangé de larmes. Il y a une telle charge émotive derrière ce que tu as vu. Mais tu sais que tu ne te trouves pas devant une copie. Parce que la vie ne se déroule jamais comme prévu. Et que tu dois toujours suivre ton étoile même si elle te conduit en enfer. Tu es enfin descendue de ton nuage. Les pieds posés sur terre. Tu marches alors de longues heures dans la forêt. Tu parcours le même chemin sans jamais le reconnaître. Et tu attends la pleine lune pour voir renaître la terre.

47.

En voulant mourir, Pierre cherchait à tout prix à t'emporter avec lui. Il avait décidé d'en finir, mais il n'aurait pas supporté de te laisser en vie. Quand on tombe, on aime faire tomber. Une logique implacable. Tu te sens abusée par des désirs qui n'étaient pas les tiens. Il t'a manipulée. Il avait tous les droits de t'emmener avec lui puisque ta vie ne valait rien à ses yeux.

48.

— Il me tarde de te voir ! te dit Jean juste avant de
raccrocher.

Une fois dans la chambre d'hôtel réservée par lui,
tu te diriges directement vers la salle de bains. C'est
au-delà de tes espérances. Grande, confortable, spa-
cieuse. Une baignoire pour se baigner à deux. Pas
de robinet dans la nuque. Une baignoire creusée
dans le sol, au milieu de la pièce, accessible de
partout, une immense baie vitrée qui offre à perte de
vue le paysage des montagnes. Deux lavabos derrière
lesquels un miroir recouvre tout le pan du mur sur
lequel se reflètent encore une fois les montagnes.
Elles se multiplient. Se répétant à l'infini. Pour être
sûres qu'un jour tu les comprennes. Que tu t'en
souviennes. Tu inspectes avec minutie la chambre à
coucher. Tu te sens comme à la maison. Cette
chambre prolonge le rêve hors de ton sommeil. Une
moquette épaisse recouvre le sol, et des bûches sont
déjà disposées dans la cheminée. Jean a voulu le
meilleur. Une suite princière pour conjurer le mauvais sort. Tu es loin de l'inconfort. Au dernier étage

de l'hôtel qui jouait du jazz, dominant tout ce qui est autour de toi et personne pour te voir.

Et ses mots encore résonnent :

— Il me tarde...

49.

Avant de te coucher, le panorama te distrait. Depuis le balcon, tu vois le lieu du drame. Il semble si petit. Ridicule au milieu de tous ces arbres. Un petit point. Rien de spécial. Tes yeux se baladent et tu t'attardes loin de ce carrefour sans lendemain. Par peur de ne pas t'endormir, tu prends un somnifère. Au réveil, tu appelles l'école de ski pour les avertir que tu aimerais avoir l'après-midi de congé. Et même davantage. Ils ne comprennent pas pourquoi. Enfin si, un peu, mais comme il n'y a personne pour te remplacer, ils ne peuvent se permettre d'annuler le cours. Question d'argent et de réputation. Tu devras te débrouiller pour être en forme et sur le terrain à quatorze heures. Pour le reste de la semaine, il faudra encore demander. Jour après jour. Tu serais prête à t'agenouiller. Mais c'est la haute saison. La période d'affluence. Aucune excuse. Tu raccroches. Tu désespères devant tant de compassion. Tu ne trouves pas ton portable. Tu es debout sur ton lit. Tu fouilles partout. Rien. Tu as dû l'oublier dans la précipitation du départ. Tu dois redescendre au chalet. Mais revoir encore une fois cet endroit te semble au-dessus de tes forces. Pour une fois, tu n'arrives pas à être amnésique. Tu rentres dans le chalet, en oubliant ce que tu es venue chercher. Une fois devant la table de la cuisine, les yeux plissés, tu regardes à peine, retenant ta respiration. Sans odeur, le spectacle est moins saisissant. Si, dans les salles de cinéma, la production ajoutait l'odeur des crimes, on en viendrait à des histoires nettement plus écœurantes. Ton portable est sur le banc. À côté des coussins gorgés de sang. Tu hésites. Et puis non, tu sors au plus vite sans ouvrir la porte de la salle de bains.

Tu es dans la voiture. Tu vas chercher Jean à la gare comme prévu. Tu reçois un message. C'est certainement lui. Tu n'as pas le temps d'écouter. Tu rappelles le numéro affiché. C'est une cabine téléphonique. Une femme répond. Tu lui demandes si elle n'a pas vu un homme d'une cinquantaine d'années. Non. Il devrait justement sortir du train qui arrive de Genève. Il est grand. Il a des cheveux couleur poivre et sel. Il s'appelle Jean. Quelques minutes plus tard, Jean est au téléphone. Tu lui dis de t'attendre au buffet de la gare. Tu as du retard. Tu fais au plus vite. Le conducteur devant toi refuse de te laisser passer. Appel de phares. Klaxon. Votre conversation se termine par un bras d'honneur. Tu t'énerves pour un rien. Tu te sens menacée.

Si Jean avait pris un taxi ou même le car postal, il serait déjà à l'hôtel. Mais il est venu si vite, pour toi, pour t'épauler que tu pouvais quand même aller le chercher. À la gare, tu ne le vois pas. Tu klaxonnes. Il sort du café. Tu ne vois que son sourire sous sa casquette de laine. Ses nombreux sacs sur le trottoir. Après une heure d'attente dans ce trou perdu, il n'y a aucun reproche dans sa voix. À sa place, tu aurais été excédée. Il t'embrasse sur les joues. Discrètement. Tu le sers dans tes bras. Tu te presses contre lui. Tes hanches contre sa taille. Tu as besoin de sentir ce réconfort. Aucune retenue de ta part. Malheureusement, tu as ce cours à donner dans quarante-cinq minutes. Et Largo qui refuse de pisser sur le trottoir. Dans la voiture, vous parlez de tout, mais surtout pas de la veille. Ton rire trahit bien l'effroi de ton agitation. Son calme te réconforte. Il sait que tu n'es pas toi-même. Un peu trop survoltée, un peu trop hystérique, toi qui as toujours été sur la réserve. Jean est là pour quelques jours, une semaine. Vous ne vous connaissez pas vraiment, mais il semble savoir qu'il faut te laisser du temps. Ne surtout pas t'envahir. La patience qu'il ressent à ton égard t'apaise. Ce soir, demain, tu verras bien comment tu te sentiras. Quand les crises d'angoisses arrivent sans prévision c'est que le traumatisme s'enracine au plus profond de toi. Alors délicatement, il te lit comme un livre ouvert. Page après page. Le choc se révélera plus tard. Sans crier gare.

Tu le conduis à l'hôtel. Ton regard devient absent, ton attitude est figée. Il sent que tu aimerais lui parler. Mais aucun son ne lui parvient. Tu sembles parachutée au milieu d'une scène dont tu as oublié le propos. Dans votre chambre, alors qu'il n'y a plus aucune distance, tu parais encore plus froide. Tu ne peux t'éterniser. Tant mieux, tu dois partir travailler. Dans ta jolie combinaison. Dieu que tu lui plais. Dieu qu'il a envie de toi. Dieu, est-ce que ce sera possible ? C'est peut-être trop tôt. Il est ravi d'être là. Il sait qu'avec toi il ne sera jamais assez patient. Et puisqu'il te veut. Il te désire plus que tout. Plus que l'ivresse du manque qui l'a ravagé toutes ces années perdues. Il n'y aura pas de dispute. Juste de la compréhension. Et de l'indépendance. Parce que tu en as besoin. Parce que c'est ton souhait. Il le respectera.

En fin de journée, tu reviens de ton cours et tu repars aussitôt sortir ton chien. Tu as besoin de te retrouver. Largo est une excuse. Un prétexte puisque Jean s'en est occupé toute la journée. Mais tu fonctionnes par paliers. Il ne dit rien. Il te demande ce que tu veux manger ce soir. Tu n'en as aucune idée. Tu t'en fous. Quelque chose de simple. De chaud. De pas compliqué. Jean commandera le repas dans la chambre. Soirée pâtes et champagne servis sur le balcon. Et pour avoir bien chaud les duvets dans votre dos. Tu reviens de la promenade. Le feu crépite dans la cheminée. Tes joues sont rouges. Tu éclates de chaleur. Tu es comme un enfant qui a retrouvé son chemin. Dès que tu as confiance, ton visage s'illumine, ton regard scintille, tes bras s'agitent. Ton corps tout entier se dénoue. Tout est dans cette assurance de te laisser ta liberté. Tu es éreintée. Et ces derniers jours t'ont encore plus affaiblie. Tu n'as pas envie de câlins, juste besoin de compagnie. Tu n'oses pas le toucher. Trop t'approcher. De peur de ne plus revenir en arrière. Et de le regretter. Une fois la deuxième bouteille de champagne terminée, il est l'heure de vous coucher. Tu te demandes déjà si c'est une bonne idée qu'il soit là. Tu es à fleur de peau. Même s'il n'attend rien. Pas même un baiser. Tu t'endors à ses côtés sans vous enlacer. Habitude que tu as perdue depuis bien des années. Pas de mélange au lit. Aucune souplesse. Tu es rigide. Presque frigide.

50.

Au réveil, tu te laisses bercer par ses caresses. Tu te
sens en pleine forme. Il est encore tôt. Tu veux profiter
de cette matinée de congé gracieusement offerte. Tu
sors Largo. Tu prends le temps de le promener. Tu es
dehors. À peine dix minutes de balade et le portable
qui sonne déjà. C'est Virginie de l'école de ski qui te
hurle dessus. Changement de programme. Oui bien
sûr, c'est de ta faute. Tu as oublié de regarder ton planning sur l'ordinateur. Cette journée tout d'un coup
s'annonce galère. Leur organisation laisse à désirer.
Votre conversation est un pur brouillon. Son attitude
te met hors de toi. De toute façon, tu n'es qu'une
auxiliaire considérée comme un bouche-trou qui ne
coûte pas cher. Tu fulmines. Tu rappelles Virginie en
lui demandant de trouver quelqu'un d'autre.

— Arrête d'enculer les mouches ! Si tu n'es pas
contente, tu sais où est la porte...
Voilà tout ce qu'elle arrive à te dire avant de raccrocher.

Tu hais cette facilité. Tu préférerais voir sa tête et
en venir aux mains. Tu rentres à l'hôtel. En quatrième

vitesse, tu te changes. Jean, dans le lit, ne comprend rien. Il perçoit juste ta mauvaise humeur. Impossible pour toi de redescendre. Tu vrilles. Tu as mal au ventre et cela va certainement durer toute la journée. Tu arrives au rendez-vous avec une quinzaine de minutes de retard. Le groupe est déjà parti. Deuxième coup de fil. Tu retrouves le chef d'équipe qui vient de répartir les clients selon leurs capacités réelles, testées sur le terrain. Trente-deux adultes pour le niveau trois. Et vous êtes trois profs. La journée sera fantastique. Ton groupe se compose de trois Anglais, un couple d'Irlandais, une Russe qui ne parle pas un mot d'anglais, un Français et un Italien. Une fois les présentations passées, tu leur proposes de les amener faire une descente dans les bosses, une face nord, dans de la poudreuse. Tu sens, à leur manque d'enthousiasme, que tu devras mettre du tien pour que la sauce prenne. Avec les adultes, lier le groupe est plus complexe qu'avec les enfants. Tout en restant sérieuse et professionnelle, il faut les amuser. Tu dois absolument tout faire pour qu'ils aient confiance en toi. Tandis qu'ils s'émerveillent devant la belle nature que Dieu vous donne, il faut maintenant descendre. Et à ce moment, c'est comme s'il n'y avait plus personne avec toi. Tu t'aperçois trop tard de leur crispation sur les bosses qui sont hautes en couleurs. Les adultes préfèrent se taire plutôt que d'avouer leur peur. Ils subissent en silence. Ils savent se tenir. Le pari est bien trop grand. Ils partent chacun de leur côté. Tu as envie de leur dire, tout se passera bien, en cas de chute, surtout restez souples ! Chacun essaie de trouver son salut. Mais c'est l'hécatombe, un vrai défilé de skis dévalant la pente. Tu t'es mise encore une fois dans une situation délicate. Tu n'avais pas à leur faire payer ta mauvaise humeur. Personne ne te traite d'irresponsable. Tu t'en charges seule. Tu arrives la dernière avec la Russe qui est restée derrière toi. Étonnante. Aucune jambe n'est cassée. Aucune tête fracassée. Tu commences à respirer. Et tu les félicites de leur courage en masquant ton effroi. Les jours suivants, il te faut beaucoup d'ingéniosité pour regagner leur confiance. Pour le deuxième jour de l'année, le temps est magnifique. Même si ce soleil glacial oscille entre moins vingt et moins trente degrés. Voilà comment l'année commence...

51.

Dans l'après-midi, la police cantonale t'appelle pour l'enquête. Tu dois passer au plus vite au poste. En plus des deux armes cachées sous le lit, ils ont trouvé une quantité non négligeable d'argent liquide et de cocaïne. Tu leur dis que tu n'es au courant de rien. C'est faux. Tu savais pour la drogue et pour les armes. Mais tu ne peux quand même pas le leur dire. Tu nies tout en bloc. Apparemment les armes posent un problème. Pierre en était très fier et il te les avait montrées. Tu ne serais pas surprise que sa femme ait porté plainte contre toi. Vous n'avez jamais pu vous encadrer. Elle te tiendra sûrement pour responsable. C'est un requin. Elle n'a peur de rien. Et elle aura absolument besoin de trouver un coupable. Vis-à-vis de ses enfants. Vis-à-vis de sa conscience. Elle n'a jamais su se taire. Jamais su se contenir. Tu seras accusée de non-assistance à personne en danger. De complicité. Ce sera son combat. Sa raison de vivre. Elle se battra pour la mémoire de son mari.

52.

Tu arrives enfin à l'hôtel. Il est tard. Et tu es excédée. Jean est confortablement assis sur la terrasse. Tu
as envie d'un bain. Il te suggère d'aller au sauna ou au
hammam. Il y a un centre de remise en forme au sous-
sol. Tu lui racontes que tu viens de passer plus de deux
heures dans un bureau de police pour la déposition.
Entre les insinuations que Pierre était ton amant, les
armes cachées, l'argent et la drogue qu'ils ont trouvée
en abondance sur le rebord de la baignoire, ils semblent
mettre en doute ta parole. Tu en trembles encore. Jean
te sert un verre de whisky et te fait couler un bain.

Pour le deuxième soir de la nouvelle année, certains
ont gardé quelques feux d'artifice qui illuminent le ciel
et les cimes des arbres. Les ombres de la forêt se font
subitement menaçantes. Une caisse de pétards n'en
finit plus de craquer. Vous ne vous entendez pas parler.
Tu l'embrasses. Tu te sens proche de lui. Enfin. Tu es
soulagée. Vous pouvez enterrer l'année. On sonne à la
porte. Le repas est livré. Et les cloches sonnent. Vous
mangez près du feu. Vous parlez de choses et d'autres.
Tu essaies de t'intéresser à son nouveau travail, tu lui
poses des questions sur sa société, mais tu sais bien que
c'est pour étouffer le silence. À la fin du repas, il te

propose d'aller boire un verre. Histoire de vous changer les idées. Au club de l'hôtel. Même pas besoin de sortir dans le froid. Pas besoin de s'habiller non plus. Tu devrais apprécier un peu de monde autour de toi. Lui aussi. Il a besoin de boire. Il a envie de danser. Ce qui doit être très rare. Tu le rejoins sur la piste. Il sent tes regards le fuir. Il se sent partir. Il a trop bu. À force de se faire petit, il oublie qu'il est devenu moins fort. Tu n'arrives pas à te distraire. Tu veux déjà partir.

Une fois dans la chambre, il te regarde te déshabiller. Ta nuque, ton dos, tes fesses. Et tes seins qu'il ne caressera pas. Avec Jean vous avez préféré commencer par le rire. Et quand le rire comble le silence, le sexe n'est plus une priorité. Tu as d'autres choses dans la tête. Vous vous approchez gentiment. Vous vous apprivoisez. Sans vous presser. Sans vous bousculer. Alors il attend. Il se rassure. Satisfait. Ses amis doivent lui dire qu'il est fou. Que tu n'es pas une fille normale. Pas baisable. Bien trop compliquée.

53.

Le lendemain, le temps reste couvert, un ciel gris, un brouillard relativement épais. Pas de tempête de neige, pas une grande menace même si le temps en montagne change plus vite qu'il ne faut pour l'écrire. Après le cours du matin, vous avez enfin pu skier ensemble. Votre première journée de ski se passe dans la mauvaise humeur. Ou du moins dans une certaine déception. Le vent a soufflé la neige fraîche pour laisser apparaître des plaques de glace. Jean ne contrôle pas bien ses skis. Et la vitesse lui fait peur. Son médecin lui a bien fait comprendre que s'il rechute, il ne pourra plus rien faire pour lui. Plus aucune opération ne sera utile. Son genou est maintenu par une prothèse. Une deuxième articulation qui monte jusqu'à la cuisse. Il ne pense qu'à la chute qu'il ne doit pas faire. Crispé, il avance lentement. Pour l'encourager, tu te permets de lui donner quelques conseils. C'est la goutte de trop. Jean, exténué, te dit que tu peux te garder de faire ce genre de commentaires. Tu aurais au moins pu le féliciter de n'être pas tombé et de prendre le risque de skier. Mais les compliments ne sont pas ton fort. De plus, Jean a un tempérament compétitif. Comme beaucoup d'hommes, il aime gagner. Il a besoin qu'on le félicite. Pour sa première journée de ski, il s'en sort bien.

Vous vous reposez dans une cabane pour boire un café. Tu dois lui laisser quelques jours pour qu'il se remette dans le bain. Du ski et de toi. Pour toi aussi, c'est une période d'ajustement. Ce qui ne semble pas aller de soi. Vous descendez en direction du village. Jean te laisse prendre les devants. Il aurait aimé s'arrêter devant la piste de décollage des parapentes, mais il entend déjà tes soupirs. Résigné, il te suit, se disant que demain sera un autre jour. À proximité du village, les différentes pistes de ski se fondent en un seul chemin qui traverse une forêt de sapins. Ce couloir, tel un entonnoir, rassemble tous les skieurs. Peu de place pour tourner. Tous les paramètres sont présents pour une belle chute. C'est la dernière descente. Il y a la fatigue, la joie de rentrer au chalet, la faim et l'attention qui baisse. Le skieur juste devant Jean perd un de ses bâtons qui vient se nicher entre ses jambes. Jean se fait éjecter de la piste. Il décroche un sapin et l'embrasse de plein fouet. Heureusement, son genou n'a pas souffert. Il peut encore bouger sa jambe. Plus de peur que de mal. Il se relève. Contrarié. Énervé. Il a de la peine à retenir ses larmes. Et devant un homme qui pleure, tout ce que tu peux faire, c'est de mettre des gants. Et tu attends. Tu lui parles. Mais il fait comme s'il n'entendait rien, incapable de sortir le moindre mot de peur d'exploser et de regretter quelques minutes plus tard une avalanche d'injures.

Cette première journée avec lui a été éprouvante. Entre la découverte de la station, les hésitations du choix des pistes par rapport à son genou et son manque d'indépendance, ce n'est pas vraiment l'idée que tu te faisais de cette semaine. Tu t'étais préparée à autre chose. À quelqu'un d'autre. Tu commences à le regarder avec d'autres yeux. Tu le trouves vieux et mou. Tu avais pensé qu'il pourrait justement te donner cette force qui te manquait. Lui qui semblait si solide. Mais sans humour tu ne vois que son manque de résistance. Même la station paraît trop grande. Ou c'est lui qui paraît trop petit. Tu trouves toutes les excuses possibles. Tu deviens difficile. Tu pointes ses faiblesses. Les difficultés de son genou. Il n'est pas l'homme qui t'a séduite. Tu voulais sentir sa force dominatrice. Tu aurais voulu pouvoir te déchaîner. Le bousculer. Agir égoïstement. Capricieusement. Et surtout ne pas sentir ses faiblesses. Autour de vous, il y a beaucoup de monde et beaucoup de distractions. Beaucoup de rues, de chemins et de magasins. Mais rien n'est là pour te satisfaire.

54.

Le soir, Jean éteint les lumières, laissant ainsi entrer dans la chambre la montagne et le ciel. Derrière lui, dans la cheminée, le feu crépite. La chaleur du bois, le mur de pierre, les tableaux, la collection de photographies retraçant la construction du barrage et de la première télécabine de la station. Vous vous évitez. Préférant vous laisser le temps de la contemplation. Cette chambre sous le toit ressemble à une grotte dont les murs ont été recouverts de planches de bois brûlé. Les flammes projettent le ressac de la mer. En avant, en arrière. De haut en bas, et de bas en haut, le paysage tout entier entame une danse nonchalante, au rythme irrégulier des flammes. Le ciel commence à rougir. Les ombres des sommets s'élancent au-delà de la plaine grise. Les montagnes deviennent particulièrement redoutables comme si un message secret essayait de se révéler. Mais tu ne sais pas encore le déchiffrer.

Devant le feu de cheminée, avec un verre de Whisky, ta tête s'échauffe et tourne légèrement. Tu n'en peux plus de tous tes ressentiments. Il te faut savoir. Tu te diriges alors vers Jean et tu lui dis que tu vas prendre une douche et qu'ensuite tu ne réponds plus de rien. Que tu es à lui. Tu as envie d'une surprise. Et comme tu n'arrives plus à ressentir le moindre désir, tu veux qu'il t'emporte. Ta bouche est un désert, tes bras sont ballants, tes jambes molles. Qu'il te prenne. Et que tu sois incapable de résister. Tu pars dans la salle de bains. Tu te retournes et tu vois son regard te sourire. Sous la douche, l'eau bouillante te pique la peau. La pression est idéale sous le pommeau généreux. Des taches rouge vif apparaissent comme si tu te débattais avec ton corps. Tu t'oublies.

Quelques minutes plus tard, Jean est près de toi. Il se glisse derrière toi. Il se presse contre tes reins. Et il te dit de fermer les yeux. Doucement, tu t'absentes. Il est temps de mettre un terme à tes éternels retours. Il te prend les mains. Les passe derrière sa nuque. Il s'attarde sur tes seins. Tu as besoin de le sentir contre toi. De sentir la souplesse de son cou, l'odeur de ses bras, la tendresse de sa peau, la force de ses lèvres. Que de minutes et de jours perdus. Tu te sens lasse. Heureuse qu'il prenne enfin les choses en main. Il te savonne, se promenant le long de ton corps. Parcourant ton ventre. Dans les creux, sur les monts. Entre tes cuisses, sous les bras, sous les pieds, entre les doigts. Il se fraye un parcours dont tu ne saurais décrire le chemin. Il te pénètre. Tu restes immobile. Silencieuse. Haletante.

55.

Le groupe a sérieusement été secoué par l'expérience du premier jour. Tu dois reprendre les exercices de base. Un peu plus sereine, tu choisis de ne prendre que des pistes bleues. Tu réussis même à les faire skier sur un ski. Ce qu'ils ont beaucoup aimé. Certains restent timides vis-à-vis des autres. Ils restent dans le non-dit. Il faut alors déjouer ces règles. Comme pour le planté du bâton. Contourner. Tourner autour. En imaginant un slalom. Féliciter pour ensuite critiquer. Tu apprends en même temps qu'eux. Le douloureux passage entre l'intuition et la technique. Ils ne posent aucune question. Et n'ont aucun souhait. Quelques exercices pour arrêter de tourner avec les hanches. Rien à faire. L'habitude est prise. Il faudra encore et encore répéter. Ils sont tristes à mourir. Ils devraient arrêter de penser. Les enfants, au moins, n'ont pas besoin de discours. Ils te regardent. Ils te copient. C'est en copiant qu'on apprend. Eh oui, et dans beaucoup de domaines. On n'invente pas grand-chose. On se répète. Les enfants n'ont pas peur de se répéter. De poser toujours et toujours la même question. Ils apprennent vite.

Tu souhaites les emmener au Mont-Fort pour leur dernier jour. Ils en sont capables. Mais ils te regardent de travers. Tu leur dis que tu prendras tout le temps dont ils auront besoin. C'est la carotte pour la fin de la semaine. Ils se serrent enfin les coudes. Tu n'as plus en face de toi huit individus. Mais un groupe qui se prépare à vivre une aventure, dont ils se souviendront toute leur vie. En fin de matinée, tu les filmes avec une caméra vidéo. C'est amusant de voir comment ils réagissent en se regardant. Certains restent sans voix. D'autres ne réalisent toujours pas que ce sont bien eux. Mais pour la plupart, c'est la déprime. Comment? Quoi? Je skie comme ça? Alors tu leur dis, oui, croyez-moi dorénavant quand je vous dis que vous êtes raides comme des piquets! Tant qu'ils ne se voient pas, ils s'imaginent ailleurs. Ils sont touchants. C'est déroutant.

Le grand jour arrive. Ils sont tous au rendez-vous. Aucun désistement. Tu passes un peu plus de temps à les chauffer. Le temps est magnifique. La neige est de très bonne qualité. Ils n'ont aucune raison d'avoir peur. Après quelques pistes, vous vous rendez en téléphérique à plus de trois mille mètres d'altitude. Le panorama est grandiose. Personne n'ose encore regarder en face la longue pente. Sur laquelle aucune chenillette ne peut accéder. Ils s'attardent à prendre des photos. Légèrement crispés. Avec des mouvements désorganisés. Quand une piste est trop raide, quand le danger paraît trop grand, tout ce qu'il faut faire, c'est se laisser glisser. Plus tu te mets face à la pente, moins tu auras de chance de tomber. Il faut aller dans le sens de la montagne. Ou du courant. Dans une rivière, il est plus

facile de l'admettre. Face au vide, les craintes revien-
nent au galop. Mais c'est bien la seule règle à laquelle
il faut penser. Leurs jambes tremblent encore. Et un
large sourire les défigure.

56.

Dans ta tête tout est planifié. Et personne ne te contredira. Jean n'a aucun commentaire à faire. Juste à se taire. Il a passé sur tous tes caprices. Lui qui se répétait inlassablement que tout ce que tu voudrais tu l'aurais. Que tout ce qui compte pour lui, c'est ton bonheur. Sachant que si tu es enfin heureuse et épanouie, il sera le premier à en bénéficier. Voilà enfin un sentiment qui te porte. Tu te sens légèrement stupide. Jeune. Oui. Ou en pleine crise d'adolescence. Comme une petite fille qui n'a pas reçu le cadeau qu'elle aurait aimé. Ou l'attention qu'elle espérait. D'ailleurs, c'est une constante. C'est toujours la faute des autres. De ne pas avoir ce que tu veux. Il n'y a rien de pire que les déceptions. Mais il y a quelque chose d'autre juste en dessous. La poche s'est remplie. Et l'abcès éclate.

Dans la chambre, tu l'engueules pour une histoire de serviette. Excédé, il sort te laissant dans ton bain. Il descend prendre un sauna. Ce genre d'histoires n'est plus de votre âge. Il te désire amante et amie. Il croit en l'amour. Il croit au couple. À cette histoire à trois. Ta vie est tout aussi primordiale que la sienne et que la vôtre. Mais à force de se voir exclu de tes envies, il commence à se perdre. Il se trouve dans une position où il doit taire son ego. Il veut te sentir proche de lui. Il aimerait te serrer contre lui. Mais toi, tu fuis, tu refuses de faire un pas. Tu ne t'es donnée qu'une fois et tu sais que tu ne reviendras pas. Jean est venu pensant pouvoir se rapprocher. Mais depuis le deuxième jour, tu n'as eu qu'une envie. T'éloigner. Tu sais maintenant que ce n'était pas de l'amour. Tu as peur de ne plus être capable d'aimer.

57.

Avais-tu le droit de penser que tu faisais tout pour te rapprocher de Paul, le seul homme que tu avais véritablement aimé. Comment accepter que votre histoire se soit terminée comme elle avait commencé. Par accident. Tu avais détruit ce qui t'était le plus cher. Paul t'évitait. Il n'était plus capable de te regarder. Toi meurtrie qui ne comprenais toujours pas ce que tu avais fait. Tu culpabilisais. Tu te laissais aller à la dérive. Tu ne rentrais que tard dans la nuit. Un matin, Paul fut obligé de te demander de partir. Tu gobas alors toutes ces aventures en conduisant à folle allure, te perdant volontairement. Tes yeux n'avaient plus une larme, plus aucun souhait. Tu avais détruit le peu d'amour qu'il y avait en toi. Tu étais partie laissant derrière toi une mort dont tu étais responsable. Personne ne pouvait prendre ta place. Et tu ne pouvais t'y soustraire. Face aux sommets de ces montagnes irréelles. Les morts autour de toi ressuscitaient et les fantômes réapparaissaient.

Après Paul, Pierre, Jean, Jérôme et les autres, alors que tu es venue te réfugier à la montagne, tu réalises que tu t'es perdue dans ce dépaysement. Tu avais si peur de te sentir abandonnée que tu ne peux maintenant qu'être seule. Il n'y a aucune place pour personne. Tu tombes tout le temps amoureuse de n'importe qui et de n'importe quoi. D'une démarche, d'une photo, d'une voiture, d'une voix. De personne. Pourquoi, pourquoi pas. Mais ce ne sera pas lui. Et ce ne sera pas avec eux. Tu es dorénavant devant la lutte contre le grondement du tonnerre et la guerre des vents. Ton cœur ne palpite plus au milieu de ces montagnes. Et ton visage soudainement se ferme.

58.

À la tombée de la nuit, tu pars te promener. Une tempête de neige souffle les flancs de la montagne. Tu préfères t'abriter du vent et tu te diriges dans la forêt. Tu devines à peine le sentier qui longe la rivière. Le brouillard est épais. Il fait froid. Un bonnet de laine sous le chapeau de cuir. Les gants et des chaussures montantes. Tu n'as pas froid, juste un peu peur. Tu n'as jamais vu les sapins aussi mystérieux et sublimes. Malgré l'heure avancée, ils illuminent tant de clarté derrière eux. La neige abondante efface leurs contours. Les droites sont moins droites, les angles moins aigus. La forêt brûlée à vif semble être recouverte de suie. Désertée. Des sons étranges s'échappent des branches qui peinent sous leur poids. Au loin, des hurlements de chiens sauvages. Une nature solitaire et inhospitalière. Tout cet espace sent l'absence. Tu n'aimes pas le noir et tu n'aimes pas la nuit. Seul le crissement de tes pas te réconforte. Tu crois voir des animaux étranges. Tu entends des chansons inquiétantes aux refrains sanglants. Qu'as-tu envie de trouver ?

59.

Tu marches dans un univers flottant. Déambulant sur ces sentiers incendiés. Des lueurs singulières te poursuivent. Tu te prends à parler au vent. À tous ces souffles qui se perdent au fond de ce vallon. La rivière est gelée. Tu te mets à suivre des traces de pas qui sont fraîches. Quelqu'un d'autre doit se promener. Quelqu'un d'autre profite de cette nuit d'insomnie. À l'écho impossible. Sans vigueur. Sans oiseau. Tu transpires sous tes vêtements. Même si tes pieds se glacent. Tes mains trop immobiles se figent dans cette marche lente et pénible. Regardant toujours devant. Tu es bien naïve. Tu penses connaître la suite. Mais tu te trompes.

60.

Au fil des heures, ta tête est enfin plus proche de toi. Tu parles aux sapins qui chantent sur ton passage. Tu entends maintenant leurs branches épeler ton nom. Le bois ne dort pas, il tourne. Tes nouvelles amies sont les pierres. Vous vous parlez. Vous vous interrogez. Vous restez des heures les unes à côté des autres. Lisses. Rondes. Tachetées. Petites et grosses. Chacune d'entre elles a une histoire à raconter. Il suffit de pouvoir les lire. De connaître leur langage qui répond aux lois universelles.

Cette nuit, tu te sens comme rescapée d'un incendie volontaire. Tu marches alors que tout est déjà consumé. Une promenade dans un paysage lunaire. De la grisaille au feu d'argent avec cette suie qui recouvre tout. Tous les coins. Tous les recoins. Les sapins se plient sous ton passage. T'encourageant à aller voir plus loin. Ils se mettent à marcher à tes côtés. Ils se dégourdissent les racines en se rendant visite les uns les autres. Tu parles avec plusieurs d'entre eux en leur demandant pourquoi ils changent de place. Ils te disent que tu ne peux pas comprendre. Le mystère doit en rester un. Personne n'est au courant puisqu'ils s'arrangent pour réintégrer leur place avant que le soleil ne puisse les surprendre.

Tu te perds dans cette forêt enchantée. Incapable de retrouver ton chemin avec ces arbres qui ne cessent de changer de place. Totalement désorientée, tu t'assieds au bord d'un précipice. Et tu t'endors. La mort t'empêche d'avoir froid et la neige te protège. Dans ton sommeil, tu parcours un pays encore endormi. Les contrastes n'ont aucune nuance dans ce paysage de calcaire. En noir et blanc. Seule la brise t'accompagne. Elle t'emporte derrière une montagne noire. Dans son ventre, tu y trouves un lac. Ses vagues se sont figées en un instant qui est devenu éternel. Elles ont été surprises par un vent glacial. Même l'écume s'est paralysée. Devant cette surface d'eau gelée, tu t'approches de la magie vivante d'une photographie. Immortel moment sans mouvement. Aucune vie. Aucun souffle. Le ciel se fait menaçant. Les nuages s'épaississent. La luminosité disparaît à l'horizon et la montagne noire se met à gronder. Elle se réveille d'un hiver sans fin. Après l'abandon de ces derniers mois, sa colère te pétrifie. Devant sa prestance, son éboulement, ses grognements, tu implores le seul dieu que tu n'as pas renié. Un hymne à l'animal sauvage, une prière à l'instinct. À la sauvegarde des rites charnels.

61.

C'est là-bas que tout arriva. Dans ce paysage humide à la sortie de l'hiver. Dans cette grotte qui semble t'accueillir avec ses zones d'ombre qui te protègent du froid. Tu prends le temps de contempler ses murs, de connaître chaque pierre, chaque bosse. C'est là-bas que tu fus malade, pleine de fièvre et d'hallucinations. Tu maudis ta vie. Tu réalises enfin que tu n'es pas qui tu penses être. Tu dois laisser s'évacuer cette chaleur insupportable. Et avec elle, toutes ces persécutions. Tu prends conscience de tes propres limites. Tu as vu de quoi tu es faite. Tu vois tes entrailles, tu regardes tous ces paysages faits par ces trous, ces fentes, ces taches. Impossible de prévoir ce que tu vas découvrir. Tu sais ce que tu es en train de perdre mais pas ce que tu vas gagner. Tu ne peux pas comprendre que chacun de tes gestes suit un ordre donné.

Tout se met en place. Et les étoiles y veillent. Tu t'es perdue dans tes désirs. Et tes angoisses, une fois nivelées, sont encore plus intolérables. Tu en es si pleine qu'à la fin tu n'as plus le choix. Tu dois les crier. Une fois cette déconstruction entreprise au fond de ton trou, tu es lasse.

62.

C'est la nuit et tu ne vois rien. Les jours passent et se succèdent. Tu n'as plus la force de marcher. Ni de te dégourdir les jambes. Le peu de luminosité te menace le regard. Tu préfères encore rester dans ta grotte et te cacher la face. Tu n'as pas perdu tout espoir. Tu pars derrière ta tête. Dans une grotte encore plus profonde. Tu appelles dans un dernier soupir celui que tu attends. C'est lui dont tu as besoin. Ce n'est qu'avec lui que tu pourras partir ailleurs. Sa tâche est de te montrer le chemin. Tu te laisses à nouveau glisser dans le sommeil. Une forme étrange surgit devant tes yeux qui se change lentement en une forme animale. Et puis, dans l'obscurité de ta grotte, toute la matière de son corps semble produite par des étoiles. Son regard est aussi glacé que de l'air liquide. Il est le tout qui est aussi le contraire de tout. Tout s'inverse. L'intérieur devient l'extérieur. Et tu l'entends te dire :

— Tu peux venir !

Que tes envies déterminent ta vie. Cet ours est ton nouveau destin. Il est blanc comme l'éclair. Il paraît si fort. Si grand. Son regard est tendre. Ses yeux noirs sont joyeux. Il arrive près de toi. À son contact, tu fonds dans son épaisse fourrure. Tu t'évanouis dans sa douceur. D'un mouvement de tête, il t'aide à grimper. Tu t'agrippes à son cou. Tu te cramponnes de toutes tes forces. Tu es troublée et tu préfères ne pas regarder. Il commence de courir. Tu sens ses muscles. Tu sens sa force. Chaque enjambée te rapproche de lui. Vos corps s'imbriquent et vous ne faites plus qu'un. Tes joues se teintent. Tu transpires. Tu reprends vie. Dans cette course, la vitesse t'enivre. Soudain devant lui, tu te trouves nue. Il te présente à son pays. Après les étendues de pâturages, vous glissez vers la forêt. Avec le vent, tout le bois se met à onduler comme la mer. Les feuilles en vagues tentent de se frayer un chemin entre les troncs pour revenir vers le rivage. Mais lui préfère les profondeurs du lac avec ses ballets de poissons. Immersion. Sous les montagnes de glaces. Tu te retrouves à l'envers, en Afrique, à Kuala Lumpur, aux îles Salomon. La bouche grande ouverte tu ne peux rien dire. Tu as été jusque-là tellement satisfaite de ce que tu as vu mais tout est balayé en un instant. Tu peux à peine bouger les lèvres. Tes soucis t'ont rouillé le système et l'esprit. Tes buts n'étaient qu'illusions. Tu t'es servie des autres pour tes propres fins.

63.

Tu n'avais pas imaginé que le monde recelait autant de mystères. Tout n'est que superposition. Certains ne parlent que d'illusion. Tu parcours le temps comme tu traverses un tunnel. Tout n'est qu'ascension. Verticale. C'est la grande unification. De bas en haut, de haut en bas. La tête perchée dans les nuages, tu as passé suffisamment d'heures pour que le monde d'en bas t'attire comme un aimant. Derrière les étoiles profondes, l'ours t'enseigne le langage de la nature souterraine. Il mord les racines d'un sapin. Et le sapin se rebelle. Une longue poursuite s'engage qui vous mène aux portes de l'aube. Et dans un ultime effort, l'arbre lance toutes ses branches vers lui. L'attrape et l'éjecte dans le firmament.

64.

Quand tu te réveilles, la Grande Ourse est haute sur l'horizon. Sa course ne s'achèvera qu'à l'automne. Le reste de la saison se passera à la déguster réduite à l'état de squelette errant dans la nuit. La nature est cruelle. Et c'est sa nature. Tu l'as oubliée. Pas de costume. Juste des coutumes. L'homme peut se changer en ours. Et l'ours en homme. Faites attention. Cela se passe encore aujourd'hui. Il y a des êtres avec qui vous ne ferez jamais la paix.

65.

Et quand le ciel et la terre se rejoindront, tes rêves seront tes actions.

66.

Tu quittes Verbier et ses hauteurs qui t'étouffent. Et tu t'installes dans ton nouvel appartement. Tu te sens seule dans cette plaine où rien ne bouge comme paralysée par une guerre invisible. Largo essaie de te distraire. Il vient te consoler. Il te regarde avec son air de chien battu. Il veut t'aider à bouger. Depuis son fauteuil à bascule, sa tête entre ses pattes, il observe le moindre de tes mouvements. Son rythme cardiaque est au plus lent. Vous êtes tous les deux comme des tortues en hibernation.

67.

Un vent hostile terrorise la campagne. La paix n'est qu'un vague souvenir et l'hiver peine à s'éteindre. Ta vie est encore plus grise qu'à ton départ de Londres. Aurais-tu fait fausse route ? Il n'y a pas de soleil. La plaine est inondée dans une nappe de brouillard. Et comme elle, tu es opaque. Tu t'es habituée au froid, à la vie qui hésite à reprendre. Ton corps encore enlisé par cette couche épaisse de glace. Tu es devenue lente et hésitante.

Des jours meilleurs reviendront. Tu te le répètes à chaque fois que tu te sens bien. Prends des forces ! Pourtant rien à faire. À chaque fois que tes hésitations te crucifient en plein élan, que tu vois ta vie comme une succession d'erreurs et de buts manqués, tu arrives toujours à la conclusion que ta raison d'être est uniquement de souffrir et de commettre des erreurs. Tu portes le fardeau de ta vie et surtout de ton impuissance. Et tes larmes s'étouffent au fond de ta gorge nouée.

68.

Le printemps arrive. Mais avec lui, aucun travail en perspective. C'est la galère. Tu ne trouves rien. Tu n'avances pas. Tes rares amis te voient comme une éternelle insatisfaite. Tu préfères alors rester dans l'ombre. Tu ne sais décidément pas comment faire partie de ce monde. Tu trouves leur existence sans saveur et tu prends goût à l'ironie qui devient ta nouvelle religion. Leurs valeurs te semblent cyniques. Eux qui idolâtrent les convenances. À force de t'être sentie abusée, te voilà désabusée. Tu n'as pas pris le même train. Tu restes assise et tu les regardes partir. Vers le bonheur qu'ils ont réussi à se construire. Et auquel ils ont cru. Tu n'as jamais su te battre jusqu'au bout.

L'été arrive. Tu le passes au lac. Tu nages avec ton chien qui te sort de tes idées noires. Il flotte sans effort et te montre comment faire la planche. Infatigable, il passe des heures à te ramener des morceaux de bois, à plonger, à rendre visite aux canards. Seuls les cygnes ne l'apprécient pas. Sa taille est un affront à leurs prétentions. Tu ne flottes qu'à la mer et tu ne sais faire que la brasse. Tu t'exerces au crawl. Tu as eu toujours beaucoup de peine à coordonner ta respiration. Tu repousses tes limites. Et ces petits plaisirs deviennent de grandes satisfactions. Même à ton âge. Tu as trente-cinq ans.

Et tu en profites pour lire, le soleil dans le dos, même si Largo a de la peine à rester calme. Un jour, tu observes un jeune garçon pêcher sur le ponton. Tu t'approches de lui. À voix basse vous discutez. Il te montre comment fixer l'appât. Il te prête une de ses cannes. Tu n'attrapes rien. Mais tu prends plaisir à assommer les poissons avant de les éventrer. Tu aimes la cruauté de la vie animale. Tes mains sentent bon cette chair visqueuse. Les viscères glissent entre tes doigts pour finir dans la gueule de ton chien. Désormais, il gardera son calme quand il te verra avec une canne à pêche. Il connaît la récompense. À la maison, tu transformes ton jardin en potager. Il faut bien trouver une solution à ton manque à gagner. Tu apprécies la précarité de ta vie.

Puis l'automne arrive avec ses pommes et ses poires. Et le raisin doux et rosé au fond du jardin avec les noix et les noisettes. La nature te récompense. Tu as passé tellement de temps à désherber, couper, tailler. Avec les framboises, les cassis et les raisinets, tu fais de la confiture. Quant aux pommes et aux poires, tu les coupes en quartier pour les sécher au grenier et pouvoir les manger cet hiver. Tu as toujours refusé d'avoir un congélateur, un principe à la con, alors que ce serait tout de même pratique. Après les grosses chaleurs estivales, les promenades dans la forêt deviennent sans fin. Tu t'attardes. Et tu ramasses des champignons.

Même si tes jours ressemblent aux précédents et ne vont pas changer le cours des suivants, un nouveau locataire arrive. Qui ne demande pas beaucoup d'aménagements. Une collocatrice très indépendante qui ne bouleverse que quelques idées préconçues. Elle, une toute petite boule de poils tricolore que tu as trouvée dans la forêt. Noir, blanc et fauve. De la même couleur que Largo. Écailles de tortue aux taches symétriques. Tu l'appelles Rosi. Elle a un œil rouge et un œil jaune. Et son ventre est tout blanc. Abandonnée ou perdue, elle ne ressemble pas à un chat de ferme. Son poil est long et soyeux. Comme du cachemire. Tu en parles à l'épicerie, à la boulangère et au bureau de poste. Et comme personne ne la demande, tu la gardes. Tu t'es fixé trois semaines d'essai. Parce que tu es allergique au chat. Et comme il n'y a aucune porte chez toi, tu sais pertinemment qu'elle élira domicile dans ton lit. Imaginais-tu, un jour, dormir avec un chat ? Cela ressort davantage de la science-fiction. Et pourtant, après quelques jours, elle sait comment te prendre. Elle te regarde dormir sans oser venir. Alors que tu ne pouvais pas te séparer de ton Ventolin, étrangement avec Rosi aucune crise d'asthme ne se déclare. Et avec elle, plus besoin de réveil. Elle s'en est chargée dès le deuxième matin et pour les années suivantes. Elle te réveille à sept heures précises d'un petit coup de langue sur ton nez ou dans ton oreille. Largo est un peu jaloux pour ce qui est du partage du lit. Mais il ne fait pas partie de ces chiens qui se contentent de dormir au pied du lit. Ce qu'il aime par-dessus tout, c'est se coller contre toi, truffe contre visage, ses pattes t'entourant le corps comme les bras d'un amant.

69.

Un temps étrange s'installe. Instable. Lunatique. L'hiver pointe son nez avec ses grands froids. Les jours et les semaines défilent à toute vitesse. Te laissant sur le rebord du temps. Tu dois impérativement t'occuper de ton appartement. Entreprendre quelques travaux pour améliorer la température ambiante. Jusqu'à présent tu n'avais pas remarqué mais il n'y a pas de chauffage. La fraîcheur des matins te surprend au pied du lit. Et Rosi et Largo te font comprendre qu'ils peuvent accepter beaucoup de choses mais pas d'avoir froid. Tu dois trouver au plus vite une solution. Pour les courants d'air qu'ils ne supportent pas, il s'agit avant tout d'un problème d'isolation des fenêtres et de la porte d'entrée. Le bricolage ne te fait pas peur. Au contraire. Bâtir. Construire. Mastiquer. Planter. Le *do-it-yourself* t'enthousiasme. Tu prends ton pied, si on t'explique comment faire. Heureusement ton voisin te prête ses outils et te donne les conseils nécessaires au bon déroulement des travaux. Tu commences par isoler les carreaux des fenêtres. Joints en mousse à l'intérieur des cadres. Joints en silicone à l'extérieur. Tu condamnes certaines fenêtres. Pour la porte d'entrée, c'est plus compliqué. Il faudrait tout refaire. Mais comme tu n'en as pas les moyens, le plus simple et le plus efficace pour ce premier hiver est de tendre une couverture en laine bien épaisse après avoir bouché les interstices avec de la mousse compensée. Quant à ton chauffage central, il se résume à un minuscule poêle complètement inutile. Tu l'avais trouvé si joli. Fabriqué dans les années trente par *Le Rêve*. Mais le matin, en te levant, tu trouves la même température qu'à l'extérieur. Tu perds ton temps à jouer à la dînette, aux allumettes, aux petites bûchettes, aux morceaux de bois si petits qu'ils se consument instantanément. Ces derniers jours tu ne rêves plus, tu dois agir. Comme pour te narguer, tu reçois dans ta boîte aux lettres des prospectus concernant les poêles suédois. Beaucoup trop chers. Tu prends ton mal en patience dans ton sac de couchage. Et un jour, ton voisin t'appelle pour te dire qu'il vient de trouver un poêle dans une brocante. Énorme, recouvert de faïence et pas cher ! Tu te dépêches d'aller le voir. Tu as les larmes aux yeux. Tu le trouves magnifique. Et tu es complètement excitée. Avec l'aide du voisin et de ses amis, vous réussissez à l'installer chez toi. Il ne te reste plus qu'à faire livrer du bois. Et à l'entasser consciencieusement sous le porche de la grange. Sans trop t'abîmer les mains. Ta vie te mène en sens inverse. Le chauffage central n'est plus un luxe et toi tu te chauffes au bois. Tu penses à ces vies d'antan. À ta grand-mère. À la vie qu'elle a eue dans son enfance. Elle aurait aujourd'hui plus de cent dix ans. Elle qui avait dû aller ramasser du bois dans la forêt le matin même de son propre mariage pour pouvoir chauffer le repas du soir. Toi, tu dois juste faire attention à tes mains. Tu n'as pas besoin de casser la glace au matin. Ce retour aride t'approche d'une vie basique. Le feu. Entendre les flammes claquer comme des lèvres au fond d'une gorge plongée dans la nuit. Le crescendo du crépitement du bois... Tu t'en gargarises. Tes mains s'abîment et se dessèchent. Et ta peau se flétrit comme une feuille de papier.

70.

La promenade du matin se déroule toujours selon le même rite et par tous les temps. Même le chat vous accompagne. Vous traversez le petit pont de bois en file indienne. Largo en premier et Rosi, la reine, la dernière. Elle termine la marche, rassurée que tout danger soit écarté. Vous marchez le long des champs en direction de la forêt. Au milieu des arbres, le ruisseau forme une courbe laissant la place à une petite plage de cailloux. Largo boit tranquillement en te suppliant de lui jeter quelques pierres qu'il essaie en vain d'attraper. Pendant ce temps, Rosi se fait les griffes en montant sur quelques troncs à l'écorce tendre. La pluie, le vent ou même la neige, rien ne vous fait peur. Vous savez qu'un bon feu vous attend. Une fois réunis autour du poêle vous pouvez alors profiter du petit déjeuner. Croquettes et thé vert. Il y a juste l'humidité des draps gelés qui n'est pas très agréable. Tu comptais sur Rosi. Mais elle attendra que tu installes les deux coussins aux noyaux de cerises après les avoir fait chauffer quelques minutes sur le poêle.

Ta seule obligation se résume, par ces jours de froid, à ne pas manquer les trois promenades journalières de

Largo et à t'occuper du feu. Ne surtout pas le laisser mourir. Le reste du temps, tu dessines. La chance du dessin c'est qu'il te suffit d'avoir quelques crayons et du papier. Tu croques Largo et Rosi dans leur sieste, dans la forêt. Peut-être qu'un jour cela donnera une histoire. On ne sait jamais ! Tu aimerais écrire une histoire pour les enfants. Tu as de la peine. Tu n'arrives pas encore à te mettre dans la peau d'un enfant. Tu veux être positive. Réconfortante. Mais tes mots semblent recouverts d'une couche de laine de verre.

71.

Chez toi, tu penses souvent à Paul. De lui, tu n'as plus aucune nouvelle. Tu n'es qu'une étrangère. Tu es devenue exactement ce qu'il craignait. Des années de vie commune et de partage pour en arriver à ne plus se parler. Voilà déjà un an que tu es en Suisse. Dommage. Mais tu n'es qu'à moitié surprise. L'homme est rancunier. Il n'oublie rien, il a trop de mémoire. À l'époque, Paul n'aurait jamais pensé que tu serais capable d'endurer le mauvais temps ni même la pluie. Il aurait trouvé ridicule de mettre autant d'énergie à survivre et il se serait moqué de toi. Paul avait la faculté d'être toujours au centre de la discussion. Il était le centre du monde. Même avec ses amis les plus proches. Lorsque tu te trouvais avec lui, il te faisait comprendre que tu étais à ses yeux la personne la plus importante. Une fois le dos tourné, tu n'existais plus. Loin des yeux, loin du cœur. Depuis ton départ, la règle était son silence. Aucun coup de téléphone. Tu avais laissé quelques messages. Tu avais pensé que quoi qu'il se soit passé, vous pouviez encore vous parler. Apparemment, c'en était autrement pour lui. Il était toujours inatteignable. Juste un soir tu as réussi à le joindre. Ça t'a fait du bien de l'entendre. Il te manquait cruellement. Tu avais pleuré. Paul, les larmes, il ne les avait connues qu'avec toi. Il lui était impossible de partager. Tu l'avais déstabilisé. Lui, cet handicapé émotionnel. Pourtant il était si romantique quand il choisissait de l'être. Tu avais été sa reine et sa princesse. Votre vie avait été belle. Pleine d'aventures. D'amour. De joie. De découvertes. De matinées à rester dans les bras l'un de l'autre. Tout cela révolu à jamais. Les problèmes d'argent n'existaient pas. Même s'il avait un besoin vital de se plaindre. C'était sa manière à lui d'exister. Il se devait de continuellement se plaindre. L'argent, il n'en aurait de toute façon jamais assez. Le monde pouvait se prosterner devant son travail, et par la même occasion devant lui, rien ne parvenait à le satisfaire. L'argent n'avait aucune valeur. Tant qu'il en avait, il le dépensait. Un de ses galeristes lui avait dit : plus tu dépenseras ton argent, plus tu en gagneras. Il suivait cette règle à la lettre. Parfois il était d'une générosité qui frisait la folie. Parfois d'une mesquinerie redoutable. Pour être détestable, il adorait se montrer radin. Il t'achetait tout ce que tu voulais, enfin tout ce qu'il voulait que tu portes. Il était sans aucune nuance. Le luxe pour lui, c'était de croire qu'il achetait du temps. Et un artiste n'en a jamais assez. Et quand tu te plaignais de ses vêtements troués et pleins de peinture, il te disait toujours qu'un homme, pour être respecté, ne doit ni être trop beau ni être trop bien habillé. Tu étais sa vitrine.

72.

L'amour, avec Paul, vous l'aviez dans la peau. Vous vous aviez dans la peau. Vous pouviez vous engueuler et vous déchirer. Il suffisait que vos corps se touchent pour que les étincelles de votre passion prennent le dessus. Le sexe était fort, bestial, souvent brutal. Pas beaucoup de tendresse avant ni après. Il aimait la précision. Il allait au plus profond de toi. Dans tes entrailles. Il savait t'emmener dans l'oubli total de ton corps. De tes valeurs, de tes jugements. Il se comportait en étalon, fier du plaisir qu'il savait te procurer. Tu aimais son corps, sa saveur. Sa sueur. Tu savais comment l'exciter, le faire craquer.

Le prendre par surprise semblait impossible, même après toutes ces années de vie commune. Il avait un besoin constant de tout contrôler. C'était quand lui voulait. Quasiment tout le temps. Il avait une peur maladive de se laisser aller dans le lit conjugal. Là où tout devrait être possible, là où aucune règle ne devrait être préétablie. Non, il devait encore jouer son rôle d'homme. Pourtant, avec ce qu'il avait vécu, Paul n'avait pas d'a priori. Enfin devant les autres. Il ne s'étonnait de rien ou rien ne l'étonnait ! Il n'avait aucun tabou. Peut-être que votre vie aurait été différente si tu avais été capable de garder un enfant. Tu aurais certainement obtenu un peu plus de considération. Et surtout tu aurais eu quelqu'un qui aurait dépendu de toi. Tu te serais au moins sentie utile. Il t'aurait laissé la liberté que tu voulais. Les enfants, ce n'était pas vraiment son truc. Au fil des années, il te semblait que Paul n'avait besoin de toi que pour ton oreille attentive. Ta présence discrète. Il avait un sérieux problème d'alcool qui le rendait la plupart du temps dépressif. Dans ces moments-là, il était préférable que tu ne te trouves pas sur son chemin. Il ne t'a jamais frappée. Mais il excellait dans les injures verbales. Tu le savais. Tu t'y préparais. Mais les mots laissent des traces invisibles. Ensuite, il fallait entendre ses millions d'excuses. Et si, par malheur, tu bâillais de fatigue devant toutes ces répétitions, il s'énervait. Paul était paranoïaque. Et, à ce stade, tu ne pouvais le considérer que comme un malade. Il refusait de prendre ses pilules. Ou elles finissaient, en période de crise, dans un cocktail dont lui seul connaissait la recette. Le résultat était impressionnant. Il ne te reconnaissait même plus. Tu en venais à ne plus savoir comment tu t'appelais.

Un matin, alors qu'il se débattait dans ses couleurs, qu'il hurlait contre la planète entière, tu en a eu assez. Tu savais que si tu restais un jour de plus sans rien faire, la frustration, la colère, la rage te submergeraient. Tu ne voulais en aucun cas lui ressembler. Et comme tu n'arrivais pas à le raisonner, tu as trouvé un travail. Le jour où tu partirais, Paul te remplacerait très vite.

Aujourd'hui, tout ce que tu recevais de Paul, c'étaient ses cartons d'invitations. Pour le Japon, les États-Unis. Même pas un petit mot de sa part. Tu faisais désormais partie du *mailing list*, de ces envois exécutés par les jolies assistantes des galeristes. Et les médias se chargeaient de te transmettre ses nouvelles.

73.

Décembre approche. L'anniversaire de ton père sera l'occasion d'un repas en famille. Ta mère t'appelle pour convenir d'une date. Cela fait plusieurs années que ton frère ne vient plus, mais comme tu es là, il fera l'effort d'être présent. Dans la maison de votre enfance aux mille secrets. Votre mère s'est habillée pour la circonstance. Et votre père est fidèle à son image dans son costume-cravate. Comme apéritif, du champagne est servi au salon. Le feu crépite dans la cheminée. Votre mère s'amuse à passer les amuse-gueules. Elle rayonne. Tant de bonheur se lit sur son visage. Un concerto pour piano envahit délicatement la pièce. Tout est pour le mieux dans le meilleur des mondes. Une odeur de petits plats mijotés s'échappe de la cuisine. La table de la salle à manger a été dressée dans les règles de l'art. Pour l'occasion le service Wedgwood est utilisé. Les verres en dégringolade au millimètre près. L'argenterie. Les serviettes. Les bougies illuminent les parois d'acajou. Et sur le buffet, sous la tapisserie géante, derrière la place de la maîtresse de maison, les piles d'assiettes sont présentées en pyramide comme au temps de ton enfance.

Les digestifs seront servis au salon profitant encore

d'un peu de la chaleur du feu. Mais avant d'en arriver à ce moment de pure décontraction, car chacun aura bu plus qu'il n'en aura eu besoin, vous parlez gentiment de choses et d'autres en faisant attention d'éviter, le plus naturellement du monde, certains sujets. Les politesses sont d'usage, pleines de courtoisies. Votre mère vous mitraille de questions auxquelles vous n'avez même pas le temps de répondre. Elles n'ont ni queue ni tête. La discussion passe du coq à l'âne. Votre mère mérite la médaille de la résignation. Ou alors c'est devenu, à ce niveau-là, du désistement. Jusqu'où est-elle consciente de ce qu'elle évite ? À vouloir mettre tout le monde d'accord. À déjouer les sujets qu'il faudra bien un jour aborder. Pour combien de temps encore ? Votre père, en excellent acteur, fait comme s'il ne percevait pas le stratagème puéril de sa tendre épouse qu'il considère la plupart du temps comme stupidement naïve. C'est sûr, cela l'arrange. Comme leur différence d'âge. Il l'a choisie jeune et jolie, en lui faisant vite comprendre qu'elle n'avait qu'à être de son avis. Ce début de soirée est l'illustration même de ce que vous avez toujours été capables de partager. Rien. Si ce n'est la reproduction des réunions de famille où l'on ne sait pas partager. Juste le repas. La discussion va bon train malgré le mal de tête assuré par tant de paroles creuses.

74.

Au milieu du plat principal – d'ailleurs pourquoi à ce moment-là ? – votre père vous annonce d'une voix officielle :

— Votre oncle a un cancer de la prostate. Mais il suit une chimiothérapie !

Ton frère s'étrangle en buvant son verre de blanc. Comme à son habitude, votre père défendra la position de la médecine traditionnelle et ton frère mettra de l'huile sur le feu. L'escalade est inévitable. Ta mère et toi ne pouvez qu'être spectatrices.

— Quoi ! À son âge, mais comment peut-on faire suivre une chimio à un homme de quatre-vingts ans ? C'est révoltant.
— Enfin mais qu'est-ce que tu en sais toi ?
— Tout ce que je sais c'est qu'il va bientôt mourir et que les médecins pourraient le laisser tranquille.
— Ce n'est pas un lâche, il se battra jusqu'au bout. Il peut s'en sortir.
— Ah ! oui, bien sûr, qu'il s'en sortira, les pieds devant après avoir souffert le martyre. Je n'aime pas

comment tu en parles, comme si tu prenais du plaisir à nous annoncer ce genre de nouvelles à table comme ça.

— Mais, mon cher, je ne suis pas là pour te plaire !

— Et tu n'as pas besoin de me le répéter, je connais la chanson...

— Parle-moi sur un autre ton.

— Comment peux-tu faire preuve d'une telle froideur, tu t'arroges la souffrance des autres parce que tu n'es plus capable de sentir quoi que ce soit.

— Mais mon pauvre vieux...

— Ne m'appelle pas comme ça !

Chacun est pris de vitesse et de vertige. Ton frère rappelle à leur bon souvenir les médecins qui avaient décidé d'amputer la jambe de votre grand-mère parce qu'elle souffrait d'une gangrène à l'âge de quatre-vingt-douze ans ! Elle avait refusé l'opération. Selon les médecins, c'était la preuve qu'elle avait toutes ses facultés mentales. S'ils lui avaient donné de la morphine, leur geste aurait été considéré comme de l'euthanasie et donc condamné par la loi. Il était certain que vous auriez pu faire quelque chose. La sortir de cette clinique, lui trouver une maison qui s'occupe des souffrances des gens trop âgés pour suivre une intervention. Mais vos parents n'avaient rien fait. Avec leur inconditionnelle prosternation devant cette médecine qui révolte tant ton frère. Les lèvres serrées, le sourcil qui bat la folie, il prend ses cigarettes, ses mains tremblent et il se lève. Tu entends la porte d'entrée s'ouvrir et se fermer. Tu sais très bien ce qui se passe dans sa tête. Tu regardes ton père et tu te permets de lui dire qu'il devrait faire un peu plus attention à ce qu'il dit. Tu sors retrouver Luc qui fait les cent pas dans la cour. Dehors, face à cette forêt de malheurs, tu attends sous le porche. Il fait si froid et ces sapins sans leur manteau de neige paraissent encore plus noirs, plus sinistres. Un épais brouillard plane à leur sommet. En silence, vous partagez une cigarette sans vous regarder.

— Quel fumier !
— Arrête !
— On n'a aucun droit de parler de ce qui est juste ou pas envers quelqu'un qui va mourir.
— Je suis d'accord, il est tout simplement incapable de se mettre à la place des autres. Mais derrière cette façade, il y a ton père.
— Comment peut-on devenir comme ça ?
— J'en sais rien Luc, parle-lui, juste de toi, s'il te plaît !

Transie par ce froid, tu rentres et Luc vous rejoint à table. Ne regardant personne, la tête baissée face à son assiette, il commence avec une voix à peine audible à raconter ce qu'il ressent face à sa propre maladie. Il parle comme s'il était tout seul. Tout en lui tremble, une émotion qui vient de ce silence contenu pendant toutes ces années. Il relève la tête en direction de votre père, les yeux brouillés par les larmes.

— C'est tout ce que je voulais dire.
— Mais, mon cher, je te rappelle que le cancer, on ne choisit pas de l'avoir !

Cette dernière phrase, ton père aura jusqu'à sa propre mort le temps de la regretter. Luc hésite quelques secondes. Il cogne sur la table. Il cogne dans le vide de la salle à manger comme pour s'échauffer. Une fois. Deux fois. Il cogne dans les murs de cette maison qu'il a toujours haïe. Cette maison qui ressemble davantage à un musée. Luc brise enfin les chaînes qui le maintenaient encore à cette famille funèbre.

75.

Tu connais ton père, car tu es la seule avec qui il a un peu ouvert son cœur. Il t'a toujours écoutée sans te le faire savoir. Le père rêve sa fille en princesse. Mais il rêve que son fils lui ressemble.

76.

Luc a toujours eu besoin d'étaler sa vie au grand jour. Il n'y avait que lui pour faire ça. Il n'a jamais rien pu cacher. La plupart des gens gardent pour eux leurs histoires. Lui, il en a toujours été incapable. Pourquoi ? Parce qu'il n'avait plus aucune faculté à endurer la souffrance. S'il en était capable, il ne ferait certainement pas ce qu'il fait. Il ne serait pas ce qu'il est. Il ne peindrait pas ce qu'il peint. Et il ne dessinerait pas ce qu'il dessine. Il n'aimerait pas qui il aime. Plus il se sentait oppressé, plus il angoissait. Mais si on lui laissait la liberté de dire ce qui lui passait par la tête, de tout mettre sur la table, c'était comme lui demander ce qu'il y avait à manger. Et du pain, il y en avait sur la planche !

Luc, l'unique fils qui, depuis son enfance, faisait tout de travers. Luc qui semblait si peu enclin à devenir un homme. Qui, à l'âge de dix-huit ans, était parti à l'étranger, s'était épris d'un homme. Puis qui revint et vous présenta une fille, puis à nouveau un garçon, et puis une autre fille. Pour votre père, Luc ne semblait avoir aucune morale. Et Luc semblait plaire à tout le monde mais pas à votre père. Luc qui aimait la vie et qui en profitait comme jamais votre père ne s'était permis de le faire. Cet homme rempli de principes qui les suivait scrupuleusement un à un, pensant qu'un jour il serait récompensé pour tant d'efforts et d'assiduité. Mais aux yeux de votre père, Luc ne pouvait être qu'arrogant, égoïste puisqu'il avait choisi d'être libre ! Depuis toujours, votre père lui en avait voulu de ne rien faire comme personne. Il aurait préféré que ton frère devienne un ouvrier et qu'il s'épuise à la tâche. Un travail qui le fasse dormir, qui l'empêche de penser et parler. Mais ton frère a préféré se distinguer. Il ne pouvait pas se taire, il avait constamment la bouche ouverte. Il est devenu un artiste qui vend ses malheurs tout en regardant le monde. Ton père ne pouvait pas l'aimer, il le subissait.

77.

La vision de ta famille te donne la nausée. Tu es
encore plus écœurée. Apparemment, chez vous, le sang
n'a aucune valeur. Alors que l'hiver isole gentiment
cette maison, que le froid s'engouffre dans les pièces,
Luc la ravage comme un ouragan. Œil pour œil, dent
pour dent. Il se révèle sans remords, explosant de ter-
reur, se foutant enfin de se faire accepter.

78.

Pour la première fois, tu es face à la violence de ton
frère. Tu ne peux la tolérer. Et tu te sens trahie. Tu ne
peux déjà plus regarder son visage, transformé par le
sang qui sort de son regard. Sous la violence de ses
gestes, un volcan éclate. Tu sais que ton frère n'aura
aucun répit, aucune manière. La marmite à vapeur
explose. Il devient fou parmi les fous. De cette folie
qui ne peut être qu'inacceptable. Chaque jour est
étrange, mais celui-là dépasse l'entendement. Une fois
de plus, tu ne pourras que partir.

L'explosion s'est faite en oubliant les conséquences.
Meurtris au plus profond d'eux-mêmes, père et fils se
sont vus capables de se renier. Ils ont senti cette force
surgir d'eux-mêmes pour écraser, humilier. Jamais ils
ne pourront se considérer vaincus. Seul leur viol pourra
assainir ce sol envenimé.

79.

La grêle est tombée sur le toit de cette maison perdue dans la campagne. Les fenêtres ont été brisées. Les
cadavres des bouteilles ont fracassé les portes vitrées.
Les plantes et les pots ont saccagé la moquette beige
du salon. Les cendriers ont volé pour s'écraser contre
les murs en crevant les tableaux. La bouteille de champagne a baptisé l'écran de télévision. De la rage rouge,
une colère noire dans cette maison dorénavant vide.
Plus personne n'est là pour l'arrêter. Ta mère a essayé
de l'en empêcher, mais d'un coup de poing, elle s'est
faite renverser, s'énuquant contre le rebord d'une
chaise. Luc hurle comme un loup quand la nuit arrive.
Dehors, le vent continue de souffler dans les sapins.
Les chahutant vigoureusement. Les branches souffrent
de ce vent glacial demandant un peu de réconfort.
Vous ne pouvez que le laisser faire. Vous ne pouvez
plus rien lui prendre. Mais ton cœur s'arrête de battre
quand tu l'entends dire qu'il vous oubliera jusqu'à sa
mort !

80.

— Luc, ne pars pas !

C'est tout ce que tu as pu crier. Tu cours derrière lui alors qu'il fait crisser les pneus de sa voiture. Tu aurais voulu lui dire d'autres mots. Tu ne le reverras plus. Luc a simplement dérapé dans une mort qui n'aura été que la continuité de sa triste vie. Il est parti dans un brouillard aveuglant. Il s'est perdu dans un virage verglacé.

Tu es déjà trop habituée à toute cette hypocrisie. À tout ce cynisme. Tu te prépares à dire quelque chose, à répondre, de tout ton corps. À ce stade même des excuses ou des explications ne servent plus à rien. Une fois franchie l'humiliation, mieux vaut tenter de s'oublier. Même la mort ne pourra pas les rapprocher. Tu abandonnes la course. Tu viens de comprendre qu'elle ne sert à rien. Tu te lèves. Tu quittes cette maison néfaste couverte de désolation. Si certaines personnes arrivent à pardonner, tant mieux pour elles. Mais si tu le faisais, tu serais de mauvaise foi. Il n'y aura jamais aucun brin de reconnaissance en toi. Tu n'es décidément pas capable de cet amour-là. Tu te rapproches

maintenant de la haine. À ton tour, tu deviens dange-
reuse. Prête à tuer qui t'a trompée. Qui sera le pro-
chain ?

81.

Tu n'entendras jamais ce qu'il a chanté juste avant de déraper sur cette plaque de glace. Une seconde d'inattention et la mort dans ses bras l'a accueilli. Mais tu te doutes bien qu'il souriait les yeux ouverts, malgré sa gorge tranchée par le pare-brise. Les doigts de ses mains pour une fois se sont dénoués. Et ses bras se sont ouverts.

82.

Ce matin a quelque chose de faux. Même la campagne est bien trop silencieuse. La lune brille encore. Les oiseaux sont absents. Où sont-ils partis ? De l'autre côté du village. En face, d'où tu ne peux savoir ce qu'ils font. Ils se sont perdus en chemin. La forêt n'en voulait pas. Ils se sont noyés dans le lac. Au fond des choses. Plus profonds que les mots. Tu devras aller au bout même si tu dois les inventer. Tu iras et tu prendras ton temps. Ce que vous autres n'êtes plus capables de faire. L'écriture rend immortel alors que les mots assassinent. Tu ne connais pas la tendresse des mots. Ni la vertu de leur guérison. Tu es dure parce qu'on a été dur avec toi. Il te faudra beaucoup d'années pour être capable de donner autre chose que ce que tu as reçu. Tu te dis aussi que tu ne peux pas traîner avec toi le poids de ta vie. Elle devient bien trop lourde. Et trop encombrante. Parce qu'au fond, un bonheur ne vient pas effacer un malheur.

83.

Luc ne s'est pas donné la mort. Il n'a pas démis-
sionné. Même s'il en a rêvé. Il a pris la mort comme
une alliée pour mieux dépasser sa vie. Partir sans fermer
les paupières. S'envoler sans battre des ailes. L'espoir
n'existe pas. Seule la dérision de la vie te rapproche
d'une mort sereine. La paix est dans la mort prochaine.
Tu laisseras alors ton esprit s'ouvrir. Écartant chacune
de ses brindilles. La mort n'existe pas. Le monde d'en
bas rejoindra le monde d'en haut pour ceux qui ne
vivent pas hors l'instant. Le perché rejoindra le penché.
Le caché, le montré. Le passé n'est qu'angoisse. Le
futur n'est que peur. Seuls les présents comptent. Car
il y en a plusieurs. Et tous se rejoignent dans l'instant.
Le temps, comme le corps, est fait de couches. De
superpositions. Il faut traverser le temps. S'enfoncer
dans le corps. Car toute caresse de l'instant reste une
prière.

84.

Luc savait qu'une tempête se préparait. Et il l'avait attendue. Il avait senti l'audace du vent avec cet humour des nuages inconstants. Il s'était éloigné. Et son corps vidé des étreintes sans lendemain s'effondra contre la mort. Aussi démuni qu'une nuit sans lune. Aussi insipide qu'une année sans saison. Aussi creux qu'un Noël sans sapin. Luc avait été ton impatience. Ta fièvre. Tes regrets. Avec cette violence qui se perdait dans ses yeux libres. Des larmes de joie. Des regrets funèbres. La mort ne pouvait être que sa seule issue. Elle rassembla tous les morceaux de lui-même. Il n'aura pas vieilli pour avoir le temps de regretter. Entre la pluie et l'envie, il s'égara dans la nuit. Et la forêt l'a recueilli. Il brûlait de vivre. Tu brûlais de vivre. Le feu vous rapprochait. Mais la colère vous a séparés. La vie te bouleversait. Il te fallait remplir ce vide par son ombre. Tu faisais fausse route. Tu t'en rendrais compte plus tard. Tu devras y retourner, t'enfoncer dans la nuit, traverser les zones de lumière comme les couches de ta peau. Ressentir sa perte et comprendre ton chemin. Le choix de ton destin. Auras-tu le temps de te transformer en papillon et de prendre ton envol ? Tu te détacheras avec lenteur.

85.

Depuis la mort de Luc, rien ne se déroule comme tu t'y attendais. Tu mets tout sur le compte de l'acclimatation à cette vie sans famille. Sans amant. Tu ne trouves pas de travail qui te convienne. Ton ancien employeur t'a pourtant commandé une histoire pour enfants. Et pas uniquement pour les illustrations. Il te donne carte blanche étant certain que tu seras capable d'écrire aussi l'histoire. Mais cela ne peut pas prendre tout ton temps. Tu n'as eu droit qu'à une petite avance avant la remise du manuscrit. Tu peux vivre un mois avec cette somme. Deux au maximum en te serrant la ceinture. Tu dois trouver autre chose. Même si tu n'es pas encore prête à faire n'importe quoi. Auparavant, quand tu n'en avais pas besoin, tu te disais souvent que tu pourrais être vendeuse dans un supermarché, mais maintenant que la situation est critique, tu dois à tout prix trouver le moyen de subvenir à tes besoins. Tu n'as personne pour t'aider. Devenir serveuse ou caissière te semble bien surréaliste mais tu réalises que l'argent te domine quand tu en as besoin. Et cette domination est universelle. Qui est libre ? Personne. Qui est sans fardeau ? Personne. La terre, l'eau, les montagnes, les arbres, les animaux, les hommes et même les enfants, tous ont un poids à porter. Que peux-tu faire ? Le monde obéit à l'argent. Et toi, tu te payes le luxe de refuser d'y obéir. Il te reste encore quelques semaines à survivre. Tu verras bien après. La lumière de ta conscience est bien faible. Tu veux retrouver un semblant d'aventures, de la légèreté, un peu de passion, un peu de rire et de plaisir ! Ressentir cette liberté perdue. Tu n'as aucune idée d'où cela t'amènera. Mais ce n'est pas maintenant que tu dévieras d'un pas. Pas question de t'arrêter. Marcher pour toi, c'est aller vers la vie, peu importe la direction. Tu sais que la moindre halte risque d'être mortelle. Et tu ne te retournes pas sinon tu te transformeras en statue de sel.

Tu fais l'effort de revoir des amis d'enfance, des copines d'école, mais personne ne t'amuse et rien ne t'emporte. Au cinéma, aucun film ne te distrait. Tout te paraît morne. Toujours les mêmes histoires. Tu as oublié ton pays, ta ville, ta famille et tes amis pendant ces dix dernières années et ils te le font bien comprendre. Quand le contact s'effiloche c'est qu'il se perd. Tu n'arrives pas encore à tourner en dérision toute cette absurdité. Toutes ces ténèbres aussi sombres soient-elles. Toute cette incohérence. Tu trembles encore devant l'insistance de tes démons. Tu n'arrives pas à abattre ceux qui te poursuivent de leur haine. Éloigne-toi de leur méchanceté. Et de leur égoïsme. Ils sont des lâches indignes qui ne se préoccupent que de leurs insignes. Mais rassure-toi, aucune étoile ne brille dans leur ciel. Tu ne dois pas avoir peur d'être folle. Ta folie te rend bien plus humaine. Incompréhensible certes. Mais il est parfois préférable de ne pas être comprise. Ne pas te justifier te sauve de ta propre intolérance. Tu as l'impression de ne plus savoir dessiner. Pourtant le paysage est le même.

86.

Ce n'est pas la vie qui te fait mal, ce sont les gens. Le mal vient toujours des autres. Tu n'es pas née suicidaire. Tu n'es pas née terroriste. Ce sont leurs mépris qui t'obligent à partir. Pour être capable de te tenir face à leurs menaces, tu dois porter l'uniforme des masques. Dans ce monde, il est impossible de ne pas vivre à travers le regard des autres. Tu irais mieux si tu étais aveugle. Tu quitterais l'apparence et l'image s'effacerait pour laisser place au son. La musique serait à ton image. Et chacun serait obligé d'inventer de nouvelles chansons. La mélodie du bonheur. La mélodie du cœur.

87.

Pour les enfants, tu voulais décrire la bêtise des gens,
leurs désirs inavouables, comment ils salivent d'envies,
comment ils sont détestables et comment leurs mensonges leur ressemblent. Leurs rides cachent leur sourire. Leurs graisses qui tentent en vain de camoufler
leur faim. Leurs mains qui dépouillent les plus dému-
nis. Leurs regards qui dissimulent leur jalousie. Une
histoire un peu fantastique. Grotesque. Un naufrage en
pleine mer. Elle qui ne saura qu'en faire. Elle n'en voudrait pas. Même les poissons fermeront leur gueule.
Alors tous ces corps gavés de leur propre stupidité
continueront à flotter. Éternellement. Vague après
vague. Inconscients de leur bêtise qui inonde leur âme.
Et puis, au fil des jours, suivant le courant des abîmes,
ils deviendront des monstres renfermant un air nauséa-
bond. Des baudruches qui se hasardent à rouler le
temps.

88.

Voilà plusieurs jours que tu n'arrives pas à te libérer de ces images. Tu ne fais que pleurer. Tu es seule et tu ne le supportes pas. Tu ne peux pas rester une minute de plus chez toi. Tu prends la voiture, histoire de bouger, histoire de ne pas trop penser. Tu n'en peux plus de ce silence qui plane autour de toi. Tu as besoin de fuir l'absence de ton frère. Et de te confondre dans la foule. Tu reviens en ville au milieu du bruit. Cette asphyxie si nécessaire.

Tu l'as rencontré alors que tu voulais te perdre. Tu as vu qu'il te souriait mais tu as fait semblant de ne rien voir. Tu étais hermétique à toute nouvelle illusion. Accoudée au bar, tu buvais une vodka. Rien ne te touchait. Tu ne regardais personne. D'ailleurs tu n'étais là pour personne.

89.

Il se dirige vers toi. Il aurait pu te dire que tu lui
plaisais. Il aurait pu te dire que tu étais trop ivre. Il te
l'a peut-être dit. Tu ne t'en souviens pas. Il ne te dit
pas que tu es jolie. Il ne te dit pas non plus que tu as
l'air triste. Tu lui dis pourtant que tu n'es pas disponible. Que tu n'as pas de temps à perdre. Que tu ne
sais que faire de la compagnie d'un adolescent. Qu'il
devrait retourner vers ses copains. Que ce n'est plus de
ton âge. Il te répond qu'il a vingt-huit ans. Tu n'entends même pas la réponse. Tu t'en fous. Tu lui
demandes de partir. Il veut quand même t'offrir un
verre. Tu lui montres ton verre encore plein. Il te
demande si tu veux l'accompagner au bar à l'étage. Tu
hésites. Et puis, tu bois cul sec ce qu'il te reste et tu le
suis. Une fois au bar, il te demande en regardant ton
verre vide :

— Vodka tonic ?
— Vodka lemon.

Tu le regardes. Tu lui donnes seize ans. Il est petit.
Joli. Mais bon. Dix-huit à tout casser. C'est trop
compliqué. Pour une nuit. Trop de travail. Il doit être

un de ces garçons fougueux qui n'ont peur de rien. Même pas de sa mère. C'est toi qui te sentiras comme sa mère. Et ce n'est pas ce dont tu as besoin en ce moment. Tu te sens vieille. Tu imagines te réveiller auprès d'un corps si jeune. Pour toi passe encore. Évidemment. Mais lui, que verra-t-il ? Des yeux gonflés. Une bouche pâteuse. Une peau flasque. Molle. Tu lui redemandes son âge. Vingt-huit ans. Mais tu ne le crois toujours pas. Ce n'est pas grave. Il veut te montrer sa carte d'identité. Pas la peine. Son sourire franc derrière sa dentition parfaite te fait déjà craquer. Deux fossettes creusent le bas de ses joues qui soulignent davantage l'expression de son plaisir. Légèrement nerveux, il se tient bien droit. Même si tu ne l'as certainement pas encouragé à continuer cette discussion, il semble sûr de lui. Il est joueur. Tu lui demandes si c'était bien toi qu'il regardait. Il a mis du temps pour venir te parler. Tu n'es de toute façon pas vraiment en état de discuter. Tu ne veux pas savoir comment il s'appelle, ni ce qu'il fait. Pourquoi il est là. Tu ne veux pas parler. Tout ce que tu arrives à articuler c'est, si tu veux on va chez toi. Il te répond en te prenant par les épaules :

— Je ne baise pas le premier soir !
— Ah, bon, tu ne baises pas... Et alors là, on est supposé faire quoi ?

Tu commandes un autre verre. Tu es assise sur un tabouret, le bar dans ton dos. Il se presse de tout son poids contre tes cuisses ouvertes. Plaqué entre tes jambes, tu ne sens même pas qu'il bande. Tu bois ton verre en silence, en fixant son regard. Tu essayes de le mettre mal à l'aise. Tu excelles à ce petit jeu. À celui qui perdra la face. Au moment où tu baisses le regard, avec une main, il te prend par la nuque et colle sa bouche contre la tienne. Sa langue t'envahit. Il te submerge de salive. Il aspire ta langue. Il mord tes lèvres. Il parcourt ton palais. À la découverte de ton odeur et de toutes tes ombres. Tu frémis devant son insistance. Sa bouche te fait vaciller. La dextérité de sa langue. L'autre main reste dans sa poche. Tu ne tiens plus en place. Il faut partir. T'enfuir. Tu te dégages.

— On se voit demain ?
— Je n'habite pas ici.
— Ce n'est pas important, j'ai une voiture.
— C'est loin, à la campagne.
— J'adore la campagne.
— Ah, oui, vraiment ? Et bien tu seras servi, c'est un trou perdu, loin de tout, près de rien, à deux heures d'ici.
— OK, laisse-moi ton numéro.

Vous échangez vos numéros de portables. Tu t'y reprends à trois fois. Il te dit qu'il t'appellera dès qu'il sera levé. Tu te dis qu'il ne le fera pas. Ce n'est pas grave. Il t'a déjà si bien embrassée. À l'aube, la veille semble toujours plus nébuleuse et les vieilles sont encore plus flétries. Les doutes t'assaillent dès que ton ventre est à nouveau sobre. La nuit rend les idées magiques. Le soleil au matin les fait fondre et les confond aux jours de la semaine. Le rationnel efface les joies enfantines. Et l'envie de revoir l'autre s'immobilise sur l'écran. Arrêt sur image. La vie reprend aussitôt le dessus sans rien attendre de l'autre. Il te regarde. Tu ne dis rien. Fais-moi confiance. Tu ne réponds pas. Tu souris. Il a déjà raison. Faire confiance. Tout simplement. Sa détermination, son engagement te plaisent déjà.

— Tu aimes les pancakes ?
— Pardon ?
— Tu aimes les pancakes ?
— Euh oui, je crois !
— Alors je viens te faire des pancakes au chocolat !
— Quoi ?
— Tu as très bien entendu !
— D'accord...

90.

Vous vous quittez sans vous embrasser. Une fois dans la voiture, tu cherches tes lunettes. La bouteille d'eau. Et pendant tout le trajet du retour, tu te donnes des claques pour ne pas t'endormir au volant. La musique de la radio ne fait plus aucun effet sur ta condition d'ivrogne. Son large sourire te poursuit. Tu ne connais toujours pas son nom. Tu imagines qu'il s'appelle Alain ou Albert. Pourquoi pas Gilbert ? Ce serait sympa. Pourvu que ce ne soit pas Mathieu, Luc, Jean, Pierre ou Paul. Une fois chez toi, tu sors Largo qui a réussi à se retenir pendant toutes ces heures. Tu te dis que tu en profiteras un peu plus. Toi qui culpabilises quand tu le laisses à la maison. Et à quatre heures du matin, Largo ne semble pas pressé. Il tourne autour d'un arbre sans même s'arrêter.

Tu dors mal. Tu as bu plus que de raison. Et tu ne peux pas t'empêcher de penser à lui. Tu te rassures en imaginant qu'il n'appellera pas. Tu t'endors à l'aube en n'y croyant plus. À midi, tu reçois un message. Il part à l'instant. Il sera là dans deux heures. Tu commences à stresser. Il faut ranger l'appartement. Trop de jours se sont défilés et tu n'as rien fait. Les lessives ont du retard. Les vêtements sont éparpillés sur les dossiers des canapés. Tu ne veux pas l'effrayer. Une course effrénée s'ensuit. Tu montes et tu descends. Et tu caches tout dans un placard. Tu vas chercher du bois. Tu remplis le poêle. Mais le feu ne veut pas prendre. Dehors, il y a trop de vent. La cheminée respire à l'envers. La fumée envahit l'appartement. Tu ne vois plus rien. Tu ouvres les fenêtres pour créer un courant d'air. Largo et Rosi se cachent sous les canapés. Tu t'excites comme si tu reprenais vie. Tu vois ta maison comme tu ne l'as jamais vue. Tout manque. La porte des toilettes qui n'a jamais existé. Les toilettes qui sont dans la salle de bains où il n'y a pas de baignoire. Plus d'une personne s'est retenue d'y aller. C'est le silence que la plupart des gens ne supportent pas. Alors tu as installé un de ces tableaux chinois qui représentent une chute d'eau avec une boîte à musique incorporée. Pour favoriser l'aisance, tu n'as pas installé de lumière. La seule source est une bougie posée sur l'arrière des toilettes. Ce lieu est propice à la méditation. *Un éloge de l'ombre.* Par manque de moyen. Pour sentir cette magie quotidienne. Un luxe que tout le monde pourrait s'offrir. Tu n'aimes pas te sentir enfermée. Tu aimes la transparence. En un éclair, l'appartement retrouve sa vitalité. Depuis ton réveil, tes yeux ont repris une certaine couleur. Tu passes l'aspirateur qui est toujours au centre de la pièce comme une sculpture mouvante. Tu t'attardes à gratter l'émail autour des plaques de la cuisinière. Et lui qui ne va pas tarder à venir pour te faire des pancakes ! Quelle idée saugrenue. De la mélasse plein les cheveux. Une douceur aux pépites de chocolat. Tu te surprends à chanter. À déambuler comme une hystérique. C'est comme un jour de printemps. Tu sens la sève grimper. Le long de tes jambes. Remontant le courant. Tu es heureuse. Tu te dis que tu ne veux évidemment personne dans ta vie. Il s'agira d'un échange de services. De bons procédés entre adultes. Tu as envie d'étreintes. Mais pas d'amour. Il a vingt-huit ans. Il comprendra l'importance de ton indépendance. Tu te sentiras libre de ne pas t'attacher à lui. De ne pas lui faire mal. Tu souffres juste d'un manque cruel de chaleur humaine. Tu as besoin d'enlacer un corps. D'embrasser une bouche. De serrer une taille. De presser un torse contre tes seins. De chatouiller un sexe. Tu as besoin de tendresse. Tu as un tel manque de caresses. Il est sur la route et tu pressens ce dimanche comme la fin du tunnel. Tu sens déjà sa lumière te réchauffer. Tu ris. Tu ne le connais pas. Les coups de foudre sont pour les adolescents. Parce que l'autre importe peu. Tu as mis du temps à le comprendre. Tout s'estompe. Peut-être qu'il sera fou de toi. Peut-être toi de lui. Tu te jures déjà de ne pas tomber dans ces pièges. Tu ne veux pas entendre des *je t'aime,* des *moi aussi,* des *tu me manques.* Et tu savoures le temps qu'il te reste.

91.

Il est arrivé comme ça dans ta vie avec du sirop
d'érable et des pépites de chocolat. Pour manger des
pancakes un dimanche après-midi. Il est reparti
quelques heures plus tard alors que tu avais envie de
lui. Il a encore freiné tes envies. Il n'est pas pressé. Il
aime mesurer. Avec son air de gamin, il est plus grand
que toi. C'est toi qui te comportes comme une enfant.
Tu as toujours suivi ton instinct et tes impulsions. Une
obligation pour ne pas glisser sur la pente de la frustration. Tu as toujours eu tellement peur d'en arriver là
que tu t'es essoufflée en suivant ce chemin. Avec toutes
ces règles que tu t'es imposées, tu ne te laissais pas aller.
Tu pensais te protéger mais tu ne respirais plus. Et
devant ce jeune homme, tu réalises aujourd'hui que tu
ne peux plus te déguiser.

92.

Alors que tu avais voulu t'abandonner dans le précipice de la nuit, la vie à son tour t'avait répondu. À sa façon, elle semblait te dire que cet homme au visage de garçon pourrait te faire revivre. À force de partir ou de fuir, il fallait bien que tu trouves un moyen d'aimer. Tu as besoin de vivre pour quelqu'un. C'est tout ce qu'il te reste. Rendre un homme heureux. Ne t'occuper que de lui. Il est temps d'arrêter de penser à toi. Seras-tu capable de laisser ton cœur de pierre et de t'ouvrir à son sourire ? Ce garçon te donne enfin l'occasion de changer de mains. Prends soin de lui comme d'un trésor. Aime-le comme tu aimerais que l'on t'aime. Oublie-toi comme tu aimerais te laisser aller. Il est là pour toi. Surprends-le comme tu aimerais que l'on te surprenne. Jamais rien ne sera comme avant. Jamais plus tu ne seras la même. Il s'appelle Marc. Il a vingt-huit ans. Et toi, tu as trente-six ans. Avec lui, tu seras sereine et volontaire, même si la liberté est un parcours solitaire.

Dans la forêt, les arbres devant toi ne sont que le haut de l'iceberg. Tu t'assieds contre un chêne et tu glisses le long du tronc. Ses racines sont ton chemin.

Sous la terre, tu seras ce que tu souhaites être parce que tu seras ta propre lumière. Elle ne te fera jamais défaut. C'est le temps de la reconstruction. Loin de l'agitation du monde et des apparences. Comme Luc, ce n'est que maintenant que tu es prête à te foutre de ce que les autres pensent. La vie peut être si belle après avoir été cruelle. Plus rien n'a d'importance. Tu penses à Marc et à ce qui lui ferait plaisir. C'est peut-être ça l'amour.

93.

Trois semaines plus tard, ambiance latine et déchaî-
née dans un avion d'Air Portugal. Pour une destination
aux couleurs vives : le Brésil. Noël est déjà derrière.
Nouvel An dans quelques jours. Plus les destinations
vont au sud, plus la joie éclate dès le décollage. Les
grand-mères parient pour savoir laquelle d'entre elles
tiendra le plus longtemps une bouteille de whisky sur
la tête. Ça s'agite, ça discute, ça rigole. Dans tous les
sens et le plus désordonné possible. La plupart feront
escale à Lisbonne pour repartir quelques heures plus
tard vers les îles du Cap-Vert. Avec tout ce vacarme
autour de toi, tu oublies que tu n'es pas seule. Tu pars
avec Marc que tu connais à peine. Tu n'es même pas
nerveuse. Tu piaffes d'impatience à l'idée de découvrir
l'hémisphère sud et de voir le ciel à l'envers. Ces nouvelles étoiles qui t'ont envoyé Marc. Ça fait longtemps
que tu n'as pas fait un si long voyage. Tu as trouvé
une place à la dernière minute. Et comme il te restait
sur ton compte en banque la somme exacte pour le
billet d'avion, tu l'as pris comme un signe. Marc t'invitait une fois sur place. Sous d'autres latitudes tu rêveras
d'ailleurs. Tu t'es dit qu'avec lui tu ferais tout de travers. Aussi loin que possible, là où les arbres poussent

vers le bas, où les hommes tiennent à la terre la tête en bas et où les pierres tombent vers le haut. Comme la montagne qui surgit de la terre. Comme le désir qui vient toujours d'en bas. Tu te retiens dans tes pensées, comme au lit au moment de l'orgasme, pour obtenir un plaisir encore plus grand. Tu es partie en te foutant de tout, de toi, des autres et de ta raison. Coinçant encore le temps qui révélera peut-être une nouvelle facette de son mystère.

Marc et toi êtes partis de l'autre côté du monde pour trouver ceux qui savent encore vivre en paix. Passer un Nouvel An au chaud. Disparaître à votre tour pour savourer votre rencontre. Tu t'es dit aussi qu'il n'y aura que deux issues. Ça passe ou ça casse. Et si l'amour n'a pas sa place, et bien tu rentreras seule. Et tu reprendras ton mal en patience. Pour l'instant à tes côtés, il dort la bouche ouverte. La tête tenue par une demi-lune gonflable. Tu commences à connaître la mélodie de ses ronflements. Celle qui vient du nez, de la gorge ou des lèvres. Le reste de son corps est immobile. Son livre est resté ouvert sur ses genoux. Tu ne dors pas et tu bouges dans tous les sens. Les deux hommes assis devant vous ont basculé leur siège au maximum. Tu as de la peine à respirer. Tu as oublié de prendre tes tranquillisants. Cette nouvelle histoire semble brouiller ton discernement. Tu t'es surestimée. Est-ce que chaque départ te ferait oublier le précédent ?

Il n'y a même pas de projection de film. Rien pour te distraire pendant les huit heures de vol depuis Lisbonne. Tu parcours les deux guides que l'ex-copine de

Marc lui a remis juste avant de partir. Tu passes en revue les images. Et tu commences à lire la description concernant votre destination. Recife. Tu prends peur. Ça n'a pas l'air d'être très encourageant. Apparemment, il n'y a rien à voir sinon des plages de sable blanc. Ce ne sera pas l'Amazonie, ni les animaux sauvages. Aucune réserve naturelle et culturelle ! Mais peu importe en cette période de fin d'année. Tu seras avec Marc qui retrouve des amis qui ont déjà tout organisé. Tu vas donc suivre le courant. Et te laisser vivre.

94.

Pour l'heure, te voilà assise dans un avion au côté de ce nouvel amant de huit ans ton cadet. Tu t'es laissé emporter par son sourire. Tu as reconnu dans ses yeux tous les rêves de ton enfance. À l'époque de ton mari, c'est toi qui avais quinze ans de moins. Avec Paul, tu savais que, malgré sa gentillesse, tu représentais ce qu'il avait perdu, la jeunesse et la beauté. Le piment des plus âgés. Les jolies filles savent qu'elles peuvent tout obtenir. Et tu en as profité. Aujourd'hui, les chemins s'inversent. C'est toi qui observes sa nuque, qui caresses sa peau si douce et qui respires son parfum d'insouciance. D'émotion, tu t'en es éprise et maintenant tu soupires.

95.

Depuis le temps que tu parcours le monde de tes illusions, jamais tu n'as rencontré un air aussi transparent. La plupart du temps, il est aussi trouble que l'eau d'un vieux bain. Dehors, derrière le hublot, il fait moins cinquante et un degrés, la mer de nuages est de glace, c'est le pôle nord au-dessus de Casablanca. Quelques rochers en apesanteur libérés des courants. Tout est lisse et vous vous dirigez dans la nuit, rattrapant la course du soleil. Tu as toujours vécu avec le sentiment que tu pouvais fuir à n'importe quel moment. Même si tu n'es pas croyante, tu n'as qu'une envie en voyant l'horizon s'aligner dans cette zone rouge sang. Prier. Prier pour que tu sois capable de l'aimer. La moitié des passagers ont trouvé le sommeil. Bien que quelques trous d'air perturbent la quiétude de cette chevauchée. Il vous reste encore plus de six heures de vol. Tu n'en peux plus. Tu imagines de l'air froid s'engouffrer par un joint défectueux. Tu ressens un apaisement comme le soulagement naïf qui suit la fin des rêves. Tu deviens grincheuse à tourner mécaniquement les pages d'un magazine. Tu tues le temps. Tu aurais espéré quelques divertissements pour te réconforter. Peu de mots.

À son réveil, pour une histoire d'accoudoir, tu n'as pas pu t'empêcher de rouspéter. Tu as gentiment dérapé. En bonne et due forme. Sans aucune manière. Tu es claustrophobe et tu n'as pas pris tes pilules. Marc n'est en rien responsable. Il te rappelle qu'il n'a pas à payer tes oublis. Dans ce genre de situation, la moindre virgule avec toi devient une montagne. Tu tentes en vain de te contenir. Tu remets alors le monde entier en question. Qu'est-ce que tu fous dans cet avion ? Marc a raison de t'ignorer. Et finalement tu te tais.

Une fois sur le sol brésilien, le contrôle des passeports est une belle expérience de patience. Autre pays, autre culture, autre coutume, autre rythme, oui, il a bien fallu deux heures pour passer la douane. Deux bureaux sont ouverts devant les quatre files qui stagnent. Marc ne peut que répéter. Pourquoi. Pourquoi. Pourquoi. Tu te réfugies dans le silence en te bouchant les oreilles. Le dialogue réside rarement dans les réponses qui n'existent pas. Tu te fermes comme une huître attendant que la marée t'inonde. Et te renverse. Tu te consumes de l'intérieur. À force de ne rien montrer, tu te noies dans une goutte d'eau. Dehors, tu penses que c'est le calme. Mais tu oublies que ton visage se lit comme un livre ouvert. Dans le taxi, la fenêtre baissée, tu respires enfin cet air sucré et nocturne qui s'engouffre sous ta peau. Les rues sont baignées de lumières. Le père Noël transpire dans son habit de polystyrène. Et les rennes suspendus aux fils électriques tentent l'impossible pour faire décoller le traîneau. Mais les cadeaux sont un bien lourd fardeau. Le taxi longe la mer. La plage est immense, ponctuée de halos de lumière sous lesquels des ados jouent au football. L'aménagement des quais ressemble davantage aux côtes aseptisées de Floride. À côté de l'artère principale réservée aux voitures, tout est aménagé pour les piétons, les cyclistes et les adeptes de la course à pied. Tu ne t'attendais pas à ça. Une apparence bien trop lisse. Vous arrivez devant un hôtel flambant neuf dont l'entrée est recouverte de marbre blanc. Une cascade d'eau teintée en bleue se déverse dans un jardin intérieur arborisé de plantes artificielles. L'hôtel se résume à un cône d'une trentaine d'étages au noyau vide. Une voie de garage, copie plus étroite du musée Guggenheim de New York City. Dans le hall de l'hôtel, tu rencontres Ric et César, le couple d'amis avec qui vous allez passer ces quinze prochains jours. Au premier abord, ils sont un brin distants. Tu sens déjà le regard du plus âgé s'arrêter sur ta montre. Un cadeau de Paul. Et comme tu es allergique au plastique, tu ne peux pas porter de Swatch. Avec l'élégance de ton âge, ils doivent bien se dire c'est qui celle-là. Les gays peuvent parfois être tellement snobs. Ils sont si friands d'ascension sociale ou de marques de fringues. Ils ne connaissent pas encore ton nom, ni qui tu es. Le suspense est à faire tenir le plus longtemps possible. À leurs yeux tu ne seras évidemment personne puisque tu n'es pas une personnalité, même pas un nom qu'ils pourront citer en fin de phrase devant leurs nombreux amis. Ils n'auront donc aucun avantage à te connaître. Tu n'es pas une attachée de presse en vogue, une photographe, une écrivain, une styliste, même pas une artiste. Bref, tu ne représentes que du temps perdu. À leur décharge, il est clair qu'ils auraient préféré passer ces vacances entre hommes ! Tout ce que Marc t'a raconté à leur sujet dans l'avion c'est qu'ils sont ensemble depuis cinq ans. Que le plus âgé, Ric, est un banquier canadien spécialisé dans les pays de l'Amérique du Sud et César, un médecin brésilien devenu informaticien en arrivant en Suisse. Que tous les deux habitaient Rio quand ils se sont rencontrés. Et qu'ils habitent Genève depuis trois ans. Marc les a rencontrés au fitness, bien qu'il soit leur voisin de palier. Pour ce qui est de leur âge, tu prendras peur. César a le même âge que Marc et Ric vient de fêter ses trente ans.

96.

Premier soir. Premier rendez-vous. Personne dans le hall de l'hôtel. Après un quart d'heure, Marc et toi, vous vous dirigez vers le bar pour enfin déguster une caipirinha. Tant attendue après ce long vol. La douche et un verre d'alcool sont tout ce qui te faisait le plus plaisir. Sentir le frémissement de ta peau et le bouillonnement de ton sang, remettre tes idées en place. Les lumières tamisées de ces hôtels de luxe te rendent à nouveau attirante. Tu te rapproches de Marc qui se détend. Tu peux enfin t'excuser. À votre deuxième verre, Ric et César débarquent. Comme Marc leur avait dit qu'il les invitait pour les remercier d'avoir tout organisé, Ric vous emmène dans le meilleur restaurant. À table, après avoir commandé langoustes et poissons grillés, le tout arrosé d'un chardonnay, tu te sens légèrement à côté de la plaque. Tu te retrouves exactement où tu ne voulais pas. Tu regardes alors Marc. Et son visage d'enfant te réconforte. Les discussions à bâtons rompus vont bon train. Ric s'étonne que tu ne connaisses pas encore le Brésil. Vous passez la soirée à parler de voyages, de compagnies d'aviation, de champagne et de produits de beauté.

Dans la chambre, il fait chaud même si les fenêtres sont grandes ouvertes. Dehors le vent souffle fort. Vous vous couchez chacun dans votre lit. Impossible de les rapprocher. Vous êtes tous les deux allergiques à l'air conditionné et, pour des raisons différentes, vous partagez la même angoisse du noir. Les stores ne seront donc jamais descendus même si le soleil se lève à cinq heures du matin. À l'aube, Marc vient te rendre visite et te réveille de mille baisers. Vous faites l'amour. C'est tendre. Il t'enferme dans ses bras et te tient fortement. Il te respire. Et, proche de l'évanouissement, tu en redemandes pour tous les matins du monde. Ensuite, il part au fitness de l'hôtel et tu restes seule. Après l'amour, un peu de solitude. Le meilleur moment pour commencer la journée. Depuis le balcon, la vue panoramique est vertigineuse. Tu regardes la foule se rassembler sur la plage. Le ciel est chargé de nuages. Le vent est si fort que tu pourrais t'envoler.

Les deux jours suivants ressembleront aux précédents. La plage. Et la première odeur du matin qui lui appartient. Même si, pendant l'amour, des images te court-circuitent encore la tête. Tu es une vieille peau qui fonctionne à l'essence à deux temps avec cette impression que tu ne connais pas ton corps quand il te caresse. Demain, c'est le 31 décembre. Pas de programme, aucun souhait, aucune attente. Finir l'année à ne rien faire. Vous resterez à la plage. Sous le parasol numéro six pas besoin de bouger, tout vient à point nommé. Grillade de poissons aiguilles, accompagnée de tranches de manioc à la sauce piquante, avec comme boisson une noix de coco glacée. La seule règle que vous vous êtes fixée : pas de caipirinha avant midi. La bonne humeur est de rigueur. Vous êtes bien loin de la sécheresse européenne. Tu es heureuse. Tu rigoles et tu souris à la vie. Vous jouez des heures au tennis de plage les pieds dans l'eau. Vous cognez dans la balle. Vous chargez. Vous riez comme des gosses. Le poids de la vie ne semble plus t'atteindre, refoulé derrière les vagues, les crises et les chutes. Marc t'observe de loin. Son attention te bouleverse. À son âge, tu n'étais qu'une princesse mais tu préfères ne pas t'en souvenir. En remontant dans ta chambre, tu croises le concierge dans l'ascenseur. Il est en train d'installer des peintures dans le hall et il te demande de choisir celle que tu aimerais avoir au-dessus de ton lit. Tu choisis le portrait d'une femme aux couleurs provocatrices. L'hôtel a ouvert ses portes il y a à peine un mois. Plusieurs étages ne sont pas encore terminés. Au moins les matelas sentent le neuf et sont fermes. Vierges. Proche de l'insolation tu t'effondres sur ton lit et tu t'endors aussitôt. C'est vrai que tu n'as jamais aussi bien dormi. Marc te rejoint. Ce ne sera pas l'heure pour une sieste crapuleuse. Vous êtes fatigués comme si le poids de l'année vous maintenait la tête sous l'eau.

97.

Ce soir, c'est le réveillon. Tu as tout fait pour échapper au froid et au mauvais temps. À force de chercher le contraire, tu te retrouves face à ton double. Que sera cette fois la surprise ! Ric est invité chez un de ses riches clients. Il vous propose de l'accompagner. Mais, pour une raison que tu ignores, vous ne vous y êtes pas rendus. Comme vous n'aviez rien réservé, vous mangez tous les quatre au restaurant de l'hôtel. César raconte quelques épisodes de son enfance. Le petit singe qu'il a eu, l'élevage d'araignées, l'adoption d'un paresseux qui, un soir d'orage, broie de ses mains sa poule préférée. Dès que quelqu'un te parle de son enfance, tu es totalement absorbée. L'histoire te captive jusqu'à la fin du plat principal. Soudain tout change. En face de toi, tu découvres un nouveau personnage. La face cachée de Marc. Le *j'en ai rien à foutre*. Le *je fais ce qu'il me plaît*. Tu as beau lui demander si tout va bien, il t'ignore. Et se descend la bouteille de rouge en te regardant droit dans les yeux. Aurais-tu manqué le début de l'histoire ? Que se passe-t-il ? Tu aurais pu t'en foutre et le laisser avec ses propres démons. Mais depuis l'année dernière, tu refuses d'assister à ce genre de scène. Tu ne supportes pas l'imbécillité de sa performance. Qu'as-tu fait ? As-tu trop parlé avec César ? S'est-il senti évincé ? Tu ne comprends pas. C'est certain, tu ne vas pas regretter l'enterrement de cette fin d'année. Mais pour l'instant, tu ne tiens plus en place.

— Qu'est-ce que tu veux dire ?
— Rien.
— Tu trouves ça normal ?
— Quoi ?
— Quoi ! Tu te fous de moi ?
— Pas du tout. Qu'est-ce qui ne va pas ?
— Tu me prends pour une conne ?
— Qu'est-ce qui ne va pas ?
— Arrête de me demander ce qui ne va pas. C'est toi qui fais tout pour qu'on te remarque. Tu n'es pas bien. Et tu n'as rien à dire ?
— Pourquoi, je devrais dire quelque chose ?
— Tu exagères. Regarde ce que tu es en train de faire. En plus, arrête de toujours dire pourquoi ? Marc, tu m'emmerdes. Finalement tu n'es peut-être qu'un gosse et tu attends que je joue à la maman ! Mais regarde-toi, ça veut dire quoi ?
— J'en sais rien, rien de spécial...

Silence. Sa tête tombe dans son assiette. Pas de réponse. Tandis que Ric et César s'éclipsent dans leur chambre pour se changer et s'habiller en blanc comme le veut la tradition, tu continues sur ta lancée. Tes yeux sont remplis de mépris. Tu le détestes. Et par la même occasion tu te détestes aussi. Te serais-tu trompée à ce point ? Tu n'y crois pas. Dans ta tête, tout se bouscule. Et bascule comme un arbre renversé par le vent. Tu as peur de ne pas savoir utiliser les armes de l'amour. Ni de les choisir.

98.

Tu quittes le restaurant. Tu portes une robe rouge. Un tissu léger par cette température suffocante. La tête en colère tu ressembles à Pomba-Gira, la maîtresse du diable. Une fois dehors, tandis que les feux d'artifice déchirent le ciel, que les processions se succèdent les unes après les autres, sans aucun répit, que les gerbes de fleurs flottent dans le ressac de la mer, et que le sable se recouvre de pétales de roses et de fleurs blanches, toi tu coules à pic. Les nombreuses offrandes à Yemanja restent sans saveur. Pourtant il faut lui donner à manger, sinon elle se vengera sur les pêcheurs. La foule blanche se restaure autour de tables gigantesques et familiales. Les vœux se croisent et se brûlent. La musique multiplie les vœux de chacun. Dans un recueillement serein. À minuit, le vent tombe enfin. Ce silence te retourne le ventre. Avec Marc, vous vous regardez à peine. Vous fuyez le regard de l'autre. Lui comme toi avez beaucoup de peine à faire machine arrière. Tu te sens trahie pour le peu que tu lui as raconté de ta vie. Tu ne lui diras plus rien car inconsciemment il l'utilise contre toi. Il a fallu attendre une bonne heure de la nouvelle année pour que vous vous décidiez à parler. Vous expliquer et vous rapprocher.

Et le temps pour lui de dessaouler. Une fois l'orage passé, la tristesse persiste au fond de tes yeux. Tout ce qui faisait son charme et sa différence alourdissent ta peine. Ce que tu redoutais ce soir semble se confirmer. À part le sexe que pouvez-vous partager ? Tu voulais être la maîtresse de jeu. Il t'a montré qu'il pouvait t'échapper sans rien te demander. Hors de ta portée. Tout peut arriver dans la vie. Tout.

Ric veut sortir en boîte. Tu te forces ne pouvant pas rester sur ce mauvais goût dans la bouche. C'est quand même le début d'une nouvelle année dont on t'avait prédit qu'elle serait radicalement différente. Vous perdez beaucoup de temps à trouver un taxi. Le club est à l'autre bout de la ville. Une fois à l'intérieur, la scène de la nuit est comme partout ailleurs et ressemble à celle de partout ailleurs. La musique et la mode ont tout nivelé. Il n'y a aucune originalité. Ils sont tous formatés. Tous programmés. Les vêtements, les corps, la drague, les coins sombres. Tout est pareil. Tu n'as aucune envie de danser. Tu t'installes au bar du premier étage. Et tu les laisses s'amuser. Marc se défoule. Il sautille. Il frétille et retrouve sa bonne humeur au rythme du tempo. Tu regardes ta montre et tu te dis que tu resteras deux heures tout au plus. Le compte à rebours commence. Un garçon te remarque. Il vient vers toi. Il te demande s'il peut s'asseoir. Tu ne parles pas un mot de portugais. Il ne parle pas anglais. Avec ses mains il se fera comprendre. Et tu le laisseras faire.

99.

Marc te fait l'amour au réveil. Tu gardes tes désirs pour toi et tu t'étouffes. Aucun son ne sort de ta bouche. Cependant, tu te laisses emmener par ce jeune animal à l'instinct maternel. Tu as de la peine à lui pardonner. Tu n'es pas simple, c'est certain. Tu es une chieuse. Dès que Marc s'approche un peu trop près de toi, tu disparais. Tu es vulnérable. Et s'il t'attrape et te gobe, sois certaine, tu ne laisseras aucune trace.

Au fitness, vous suez tout l'alcool de la veille devant la piscine en forme de haricot. Marc court sur un tapis en caoutchouc et toi tu pédales sur place. Vous vous oxygénez les poumons de cet air chaud et humide. Le reste de la journée se passe à la plage à vous détendre des émotions de la veille. Vous retrouvez César qui n'est pas en forme. Ric était tellement ivre qu'il en a profité. Attouchements nocturnes et caresses anonymes. Nouvelle année ou pas. Tout est prétexte !

Assise sur ton transat, tu regardes l'agitation des vacanciers. La plage au Brésil c'est comme l'extension de la maison, c'est le salon, c'est le séjour, c'est le balcon, c'est la vue sur l'au-delà. C'est aussi la pièce commune, où tout est permis, la salle de jeu, la salle de lecture, la salle de loisirs ou la chambre à coucher. On s'y attend, on joue avec un rien, avec les noix de coco ou même les crabes, on se parle, on se regarde. On s'y rencontre.

En remontant dans votre chambre, Marc a envie de toi. Tu aimes sentir sa vitalité. Et tu aimes son désir sans limites.

100.

Le lendemain, vous quittez la plage de Recife pour Pessoa, un petit port de pêcheurs. Sur la route, la voiture traverse des plantations de cannes à sucre. Après la récolte, les champs sont brûlés et une odeur de barbe à papa envahit le paysage. Mais il suffit de dépasser un réservoir d'engrais pour que tu reviennes à des valeurs plus terriennes et que tu refermes en vain les fenêtres de la voiture. Au loin, des bouteilles géantes de cachaça jalonnent le paysage.

Il est cinq heures et la nuit tombe déjà. Marc s'endort sur tes genoux. Les lumières donnent au paysage une autre saveur. Les odeurs, elles aussi, prennent une couleur différente. Tout ce qui vous poursuit, c'est l'écoulement des égouts. Et vous suivez vos deux acolytes qui continuent de tout prendre en main. Les routes sont difficiles à comprendre et les barrages de flics nombreux. Tu as froid, tu grelottes, c'est le trop de soleil ou la fatigue qui survient. Une fois rentrés dans la chambre d'hôtel, vous partagez un corps-à-corps immobile, et vous vous endormez en jouissant d'un regard.

elle Mais il n'avance pas à la femelle. Il se demande si ce qu'il pense. Et que s'il pense que la femelle s'éloigne...

101.

Tu ne lui diras rien. Tu ne feras rien non plus. Tu n'es vraiment pas maternelle. Tu n'es pas capable de l'encourager. Il demande juste un peu de réconfort. Il te masse les mains, allongé sur le lit. Il chantonne. Et a envie de faire l'amour. Tu préfères dormir. Il veut savoir pourquoi ? Tu ne veux pas parler de toi. Ni dire pour quelles raisons tu agis comme ça ! Il en connaît bien sûr les grandes lignes. Les plus importantes, il les ignore. Tu te gardes de lui en parler. Il lui manque trois années qu'il est facile de camoufler. Quand on a vécu à l'étranger on peut tout inventer. Et comme tu as perdu tes amis, ton passé t'appartient. Ce n'est pas demain que tu lui parleras. Tu sais qu'il comprendrait ce que tu as enduré, ce que tu as vécu, mais tu sais aussi que son regard changerait. Alors, tu le préserves et tu te préserves. Peut-être que tu as tort. Tu préfères prendre le risque. Chaque chose en son temps. Il n'a pas à tout savoir. Tout connaître. Tu camoufles et tu regardes sa bouche, si grande, renfermant sa langue épaisse. Une bouche à peine dessinée, aux lèvres charnues. Et sa salive si onctueuse. Tu te retiens. Tu t'interdis de laisser ton désir te ravager.

Ses yeux vert ouverts sur ton visage suivent une pen-

191

sée. Mais ils n'arrivent pas à la formuler. Parfois tu te demandes à quoi il pense. Ce qu'il pense. Et comment il pense. Ce qu'il a au-dedans de lui. Il est une énigme. Et il le restera.

102.

Les jours suivants se passent dans la bonne humeur, mais dès que le soleil se couche, les tensions se lèvent. Les soirées n'ont ni queue ni tête. Les repas se déroulent dans une ambiance électrique. Pourtant Marc fait attention à moins boire. Tu commences à penser que tu dois certainement le stresser. Il n'est plus lui-même. Et ce n'est plus lui sans ce sourire. Marc tire la gueule. Tout sonne creux. Le comble, ces vacances vous épuisent.

César essaie, comme il peut, d'animer la discussion en vous faisant déguster des plats de la région. Ric ne dit plus rien. Ne participe à rien. Tout ce qui l'intéresse c'est l'alcool, le bronzage et sentir qu'il peut séduire. Leur relation est bien étrange, la perpétuelle version de la traite humaine. La soumission de César te rend malade. Comme Ric travaille beaucoup et gagne beaucoup d'argent, César se doit de s'occuper des désirs de son mari. C'est la première fois que tu es aussi proche d'un couple d'hommes. Et que tu partages leur quotidien. Avec ton frère, vous vous voyiez surtout en tête à tête. Et vous ne vous êtes pas beaucoup vus pendant tes années à Londres. La plupart du temps, c'est lui qui venait chez toi. Il passait un ou deux jours. Toujours seul. Même s'il avait quelqu'un dans sa vie. Puisqu'il était ton unique frère, tu le regardais évidemment d'une autre manière. Pour ce qui est de Ric et de César, ils se comportent attachés à ces liens qui régissent toute une vie jusqu'à l'épuisement. Tu exècres ce que Ric représente, ce qu'il génère, ce qu'il dit, ce qu'il cache, ce qu'il construit, ce qu'il détruit et tu hais par-dessus tout cette bonne conscience qu'il se donne. Avec cet éternel rapport de force qui définit malheureusement le couple ordinaire. Mais peut-être que le couple est par définition ordinaire ! Il n'y a qu'un homme ordinaire ou une femme ordinaire qui sont faits pour être en couple. Il n'y a jamais de héros ! Il n'y a que des partenaires ordinaires qui jouent à l'homme et qui jouent à la femme ! Ric et César se protègent certainement derrière ces valeurs conservatrices. Le dominant et le dominé. Le pénétrant et le pénétré. Le viol est de rigueur pour se sentir supérieur. Le corps doit être transgressé.

103.

Tu es pleine de reproches. Ton esprit irrité déborde d'amertume. Tu crains même que la raison de toute cette colère ne t'échappe. Tu es pleine d'émotions troubles. Le comportement de Ric te fait terriblement penser à ton père. Imbu de lui-même et ne parlant que d'argent, il excelle dans le rôle du colonialiste. Son arrogance est certainement proportionnelle à ce qu'il a dû endurer. Et sa prétention n'a pas d'égale. Tu ne te priveras pas de le lui dire. C'est dommage, les hommes ont quelque chose de si fragile. C'est ce que tu aimes. Mais il suffit qu'ils nient leur vulnérabilité pour qu'ils deviennent de sacrés cons avec leur besoin constant d'être rassurés. Tu préfères t'allumer une cigarette et garder le silence. Apparemment même ton silence agresse. Dans la voiture, tu te glisses contre Marc et tu vides ton sac.

— Mais dis-moi quand il y a quelque chose qui ne va pas !
— Et qu'est-ce que je suis en train de faire ? Économiser ma salive ? lui réponds-tu encore plus agacée.

Tu as besoin d'aller aux toilettes. Tu n'en peux plus. Vous vous arrêtez à une station-service en plein milieu de la campagne. César trouve un petit chat squelettique dans la poubelle, les yeux et la gueule complètement infectés. Ric est prêt à lui acheter une tranche de gâteau et à lui offrir un peu de son yaourt à la fraise. Il est indigné devant tant d'horreur et se presse de faire la morale au tenancier. Tu ne desserres les lèvres que pour fumer une nouvelle cigarette. Vous arrivez dans une petite ville touristique sans aucun intérêt, entourée de dunes, réputée pour son surf sur l'eau et sur le sable. L'hôtel a été réservé le matin même. Une jolie bâtisse des années cinquante construite en pierre de taille. Avec piscine et bains à remous face à la mer. Les chambres qu'ils vous proposent se trouvent au sous-sol. Vous n'avez aucune vue sur la mer. Vous vous trouvez face à un mur. Vous retournez à la réception. Il n'y a aucun problème. En fin de journée d'autres chambres vont se libérer. Ils vous proposent de laisser vos bagages à la réception. Vous partez à la plage. Les vagues sont douces et fortes. Les surfeurs sont nombreux. Sans plus attendre et pour vous détendre, Marc et toi jouez dans l'eau. Sous l'eau, tu lui prodigues une petite faveur. Les vagues sont très hautes et un surfeur manque de justesse de te décapiter. À peine posé sur sa serviette, Marc a aussitôt besoin de bouger. Il te donne le tournis.

Avec un bon livre, tu voyages entre les mots et tu arrives facilement à te fatiguer dans ta tête. Et tu ne peux pas compter sur César qui ne veut rien faire, même pas nager. Tout ce dont il a besoin pour être heureux, c'est de sa carte de crédit et de ses bijoux.

Après cinq ans de mariage, il a reçu une Rolex qu'il porte fièrement. Même à la plage. Cinq ans de sous-traitance pour une montre, faut tenir le coup ! Il y trouve son compte, c'est certain. Marc en a marre de tes commentaires et te demande d'arrêter.

— Tu devrais éviter de juger mes amis et même ceux qui ne te sont pas proches !

Tu ne devrais pas. Jamais. Même si tu as raison. À ton âge, tu devrais savoir ça.

104.

Sur la longue route qui borde la mer, les magasins de souvenirs, échoppes, musiciens, bars, putes et restaurants défilent les uns derrière les autres. Tu t'aperçois qu'à plusieurs reprises, Marc se fait draguer ouvertement par les filles, elles n'ont pas froid aux yeux, elles se retournent carrément sur son passage pour mater son joli cul. Tu adores le voir rougir et tu aimes ces filles dont tu partages l'avis. Tu prends alors un malin plaisir à lui mettre la main aux fesses. Décidément, tout est fait pour que les rôles s'inversent sous l'hémisphère sud. Tu te sens suspendue à la terre, tes pieds dans le vide. Sur ta tête pousse l'herbe grasse de la terre. Elle qui sera ta raison, ton plafond. Dans tes oreilles, sifflera une musique de cailloux composée de ballades souterraines et de vers de terre. Tes pieds fouleront le ciel. Tu marcheras au milieu des oiseaux dans un pâturage de nuages. Et la course du soleil se terminera à tes pieds.

105.

De retour à la réception de l'hôtel, aucune chambre ne s'est libérée. Autre équipe, ils ne sont au courant de rien. Vous demandez à parler au manager. Ric, complaisant, essaie en vain de leur faire comprendre qu'ils se sont trompés. Et dire qu'une nuit dans cet hôtel revient à un salaire mensuel standard. Tu refuses de rester plus longtemps. Il y a suffisamment de pensions au bord de la mer pour trouver une petite chambre sans prétention. Après plusieurs essais, Marc et toi trouvez une jolie chambre dont le prix est cinq fois moins élevé. Sans confort occidental. Un lit double, une salle de bains sans eau chaude, pas d'air conditionné, mais un grand balcon face à la mer et un hamac. L'odeur est cependant étrange. Le mur derrière le lit est recouvert d'eczéma. De la moisissure qui tombe au moindre courant d'air. Ce n'est qu'après avoir pris une douche froide que vous verrez les nombreux cafards surgir de sous les meubles. Vous vous foutez de ne pas avoir de piscine, puisque vous préférez la mer. César et Ric ont de la peine à vous suivre. Tu jubiles comme une gamine de leur montrer que tu apprécies la simplicité qui semble leur échapper. Tu prends alors tes grands yeux ahuris, la bouche bée. Tu joues à la pauvre et les mots te manquent. Mais Marc est de ton côté, tu le mangerais vivant au milieu de cette chambre miteuse. Encore un bémol, le matelas est en mousse synthétique. C'est certain, tu ne vas pas bien dormir. Mais tu préfères te taire. Ric et César resteront dans le luxe de leur distinction.

Alors que Marc a tendance à chercher la symbiose, toi tu essaies d'imposer des plages de solitude. Tu as besoin de rester dans ta prison. Ton espace clos où personne ne peut venir te rejoindre. Certains jours, tu fuis jusqu'à l'intimité de votre chambre. Il ne te comprend pas. Tu te dis qu'il est décidément trop jeune. Et pourtant il prend si bien soin de toi. Tu aimes être dehors, sentir le vent souffler sous ta jupe d'été en plein hiver. La peau de tes jambes te paraît encore plus lisse. Quand vous vous baladez, Marc en profite. Tu aimes ses mains indiscrètes. Et dire que tu avais complètement oublié que tu aimais que l'on te mordille les seins. Tu reprends corps et tu reprends confiance. Tu ne changes pas. Tu te modifies. Il te raconte sa jeunesse, ses parents, son frère. La vie peut être résumée de bien des manières. Quant à toi, tu te tais. Tu ne veux pas entendre certains mots. Tu ne veux pas lui faire de la peine. *L'amour, le vrai, c'est celui qui libère, pas celui qui attache !*

Es-tu consciente de ce que tu fais ? Tu te testes, tu le testes, tu le manipules. Tu es détestable, tu peins le diable sur la muraille, tu le prépares à toutes éventualités, surtout les mauvaises. Tu lui fais mal. Tu fais tout pour qu'il perde pied, tu te fais pire encore. Tu es dure, tu es sèche, troublante, tu observes son comportement, tu prends des notes, tu analyses sans entendre ce qu'il a à te dire. Tu n'écoutes pas sa défense, tu observes ses facultés à rebondir, un simple signe de faiblesse et tu plantes plus profondément encore le couteau et tu tournes et retournes la lame. Tu es rigide. Il te faudra apprendre à devenir plus souple, c'est une question vitale pour ta santé et celle des autres. Mais tu restes un joli dessert !

Aucune oasis à l'horizon tandis que vous traversez le désert du Sert Aso. Avec ses gigantesques cactus qui bordent la route. Les villages se résument à une station d'essence dont les gendarmes couchés et coloriés permettent aux enfants de profiter de votre ralentissement pour vous vendre quelques noix de cajou. Sous un ciel qui n'a pas versé une goutte de pluie depuis sept ans. Une colonie de minuscules nuages est réunie bien trop haut pour donner quoi que ce soit. Ils sont comme des millions de taches noires errantes sur ce plateau dénudé. Incapables de donner un tant soit peu de fraîcheur. Vous vous arrêtez dans une petite auberge, au bord de la route, où la nourriture s'avère excellente. C'est un des meilleurs repas jusqu'à présent. Sous l'auvent, à l'abri d'une brise étouffante, la surprise crée la bonne humeur. Poulet accompagné de manioc, semoule, maïs, tomates, oignons, haricots, fèves, pomme de terre, carottes et coriandre.

106.

Vous arrivez enfin à Canoa de Brada. Dans les années soixante-dix, quelques hippies étaient venus s'y installer parce que la mer était réputée pour la force de ses vagues. Le village est encore entouré d'un désert de sable, mais retenu cette fois par des falaises d'ocre. Les habitations, principalement des petits hôtels construits en terrasse, dominent la mer. Au bord de l'eau, des restaurants construits sur pilotis s'échelonnent les uns derrière les autres, au rythme d'une techno ethno. Bordés de hamacs, de chaises longues en paille, de nattes en tout genre, ça sent le chill out et les fumeurs de joints invétérés. L'odeur douceâtre du hasch te tourne la tête. Même si à une époque tu préférais la rapidité de l'herbe. Avec sa constance de te faire paranoïer pendant plusieurs heures. Il est déjà tard quand vous arrivez sur la plage, illuminée par la lune qui sera pleine demain. Dans le seul bar encore ouvert, tu fais la connaissance d'une fille qui te dit que demain il y aura une fête au bord de la plage. Ce lieu respire une douceur de vivre. Dans un endroit pareil, tu as juste envie de t'exploser la tête, de te retrouver un peu plus haut qu'avant. Dans un tourbillon qui ne s'interrompt jamais.

107.

Ces derniers jours, quand vous faites l'amour, un
homme te poursuit. Des détails de son corps t'apparaissent brutalement. Comme des éclairs. Même si tu ne
l'as vu qu'une fois, il y a une dizaine d'années. C'était
en plein mois de juillet à Werdinsel. Sur *l'île verte*, haut
lieu naturiste à l'entrée de Zurich. Tu l'avais rencontré
alors que tu te laissais emporter par le courant de la
Limmat. Tu nageais sur le dos, envoûtée par l'arche
naturelle que forment les arbres au bord de cette
rivière. Vous aviez échangé des regards. Cela avait suffi
pour que tu te retrouves au pied d'un arbre à le chevau-
cher. Tu t'étais agrippée aux poils de son torse qui
soulignaient le volume imposant de ses pectoraux. Il
t'avait laissée faire ce que tu désirais de lui. Tu t'étais
sentie libre lors de cette nuit d'été. De lui, tu gardes la
mélodie de ses gémissements. De sa voix au moment
de l'éjaculation. Une voix aiguë pour un corps si solide.
Tu ne te souviens pas de son odeur, ni du grain de sa
peau. Cet homme, cet amant fantôme, cette parodie à
l'amour qui t'obsède encore aujourd'hui.

108.

Autrefois, tu accueillais tout et maintenant tu as peur de tout. Même ton propre poids te pèse. Tu as peur d'agacer Marc. Tu ne veux pas l'exaspérer. Tu ne sais plus ce que tu peux lui dire ou pas. Tout se mélange. Les choses les plus naturelles, tu les as rendues difficiles. Encore un jour sans aucune confiance. Et pourtant c'est son amour qui te stimule. Tu es rouge écarlate. La colère et la fierté enflamment ton visage. Le lever a été pénible, non seulement tu as le ventre et les épaules brûlés mais ce sont tes fesses qui sont en sang. Le prix à payer pour une magnifique balade à cheval, deux heures de pur bonheur, galop sur la plage, cross dans les dunes à l'heure du coucher du soleil. Avec la lune pleine qui te suivait. Ce matin, tu n'arrives plus à t'asseoir, tu ne sais plus dans quelle position te tenir. À l'arrière, ton cul est en feu, à l'avant ton ventre part en lambeaux. Tu es belle et appétissante. Et dans la voiture c'est dorénavant ta culotte qui colle. Devant ton humeur massacrante, Marc n'arrive plus à te suivre. Il ne te comprend plus, il ne sait plus comment te dire les choses. Tu prends tout contre toi. Il te répète qu'il tient à toi, qu'il ne pense pas être aussi débile que ça, que dans la vie en général il n'a pas de problèmes de communication, que quand ses amis lui racontent quelque chose, il écoute et s'en souvient. Qu'il t'aime et qu'il veut croire en vous. Il termine en te demandant ce que vous pourriez faire. As-tu pris seulement cinq minutes pour t'asseoir dans un coin et réfléchir tranquillement ? Tes pensées sont toujours en mouvement comme le fond de la mer. Et pour ne pas lui donner raison, et ne sachant pas quoi lui répondre, tu pars en claquant la porte. Pendant le repas, tu ne sais plus quelle attitude adopter, tu oscilles entre la fesse gauche et la droite. Finalement vous renoncez à la fête et vous rentrez dormir sans rien vous dire.

109.

Le lendemain, vous arrivez à votre dernière destination, Fortalezza, sans incident durant le trajet. Comme si les derniers jours de vacances favorisaient la bienséance. Tu vois enfin la fin qui te rend plus douce. Vous savez que c'est aussi l'heure du bilan. Que va-t-il advenir de vous. Vous partez tous les deux vous balader au centre-ville. Vous visitez la cathédrale, le théâtre, le centre culturel. Pour une ville de deux millions d'habitants, ça n'a aucun intérêt. Vous préférez flâner dans les rues marchandes, au milieu des tissus, des agencements de cuisine, des cinémas, des chaussures. Tu trouves les verres dans lesquels les caipirinha sont généralement servis. Tu en achètes six ainsi que deux grands couteaux de cuisine. Le soleil frappe si fort que vous choisissez de vous promener dans des ruelles suffisamment étroites pour rester à l'ombre. Vous vous arrêtez dans un square. Vous mangez une glace dos à dos, l'un contre l'autre. Vous ne dites rien. Vous vous sentez bien dans cette foule qui discute pour vous.

Vous passez votre dernier après-midi au Beach Park. Un parc d'attractions aquatiques ! Le genre de bain de foule et d'activités que tu évites. Tu aurais préféré rester allongée sur une chaise longue à lire un polar érotique. Mais Marc en a tellement envie que tu ne peux pas le lui refuser. Tu n'as jamais fait ça. Tu sais qu'une fois lancée, ta tête brûlée appréciera. Effectivement, plus c'est haut, plus ça tourne, plus c'est gros, plus ça te plaît et te détend. Vous glissez sur le plus haut toboggan du monde, une descente vertigineuse de cent cinquante mètres. Tu aimes ressentir ces frissons. Tu as peur. Tu hurles de toutes tes forces. Tu décolles. Tu t'oublies. Tu déconnes. Tu vibres. Tu te mords. Tu es vivante. Tu n'es pas raisonnable et tu ne le seras jamais. Tu préfères te consumer par les deux bouts. Pour l'amour du risque. C'est bon de s'amuser comme des enfants à suivre le mouvement. C'est bon de se distraire et de ressentir ces nouvelles émotions. Grâce à Marc, tu ne veux plus de débordements. Et tu as soif d'une vie calme. Est-ce qu'elle sera vraiment faite pour toi ? Est-ce qu'elle te suffira ?

Tu es une abeille. Tu butines et tu aimes te faire culbuter. Tu t'arrêtes ici ou là. Tu titubes. Du bitume. Malgré tous tes voyages, tu es fidèle. Tout homme a ses limites. Un seul homme ne te nourrira jamais complètement. Ce sera ton jardin secret. Personne ne le saura et tu n'auras pas besoin d'en parler. Tu sais que tout ne se dit pas. Il y a des choses que tu garderas pour toi. Seul ton dieu te comprendra. Et cela te suffira. Tu as été naïve et bien des fois stupide. L'amour est un jeu réservé aux enfants. Tu es à nouveau pleine de bonnes intentions. Et Marc t'en fait la remarque.

110.

Après le Brésil, chacun reprend son rythme quotidien. Et la distance aidant, vous ne vous voyez que le
week-end. La plupart du temps, c'est Marc qui arrive
chez toi au volant de sa Smart. Entre le sport et les
amis, il n'a pas beaucoup de temps libre. Et puis, l'ami
d'une connaissance t'a mandatée pour illustrer un livre
de poèmes. Tu n'as que trois mois pour le rendre. Tu
n'as pas pu refuser, même si les poèmes ne sont pas
vraiment de ton goût. Tu vas pouvoir utiliser une partie des dessins que tu as faits de Largo et Rosi. Les
animaux, ça plaît toujours.

Depuis votre voyage, vous n'avez pas vraiment parlé
de ce que vous alliez faire. Rien n'est jamais définitif.
Même si tu aimerais bien le savoir. Tout ce que tu sais
c'est que moins tu en parles et plus tu laisses la possibi-
lité aux choses de se mettre en place par elles-mêmes.
À leurs manières. Tu ne peux pas tout contrôler. Marc
est indéniablement un souffle de fraîcheur. Une
énigme à laquelle tu tiens. Tu as souvent pensé que la
compréhension est un obstacle à l'amour. Malheureusement, tu sais que ce n'est pas réciproque. Marc, à
son âge, veut tout comprendre. Parce qu'il croit qu'il
peut te comprendre. Mais personne ne sait quel genre

de vie quelqu'un mène vraiment. Jamais. C'est ce qui est amusant. Le mystère de chacun. Que se trame-t-il derrière ton visage, comment se comporte ce corps dans ces bras-là, entre ces cuisses-là ? L'esprit comme les ébats amoureux sont insondables. Tu ne sais pas. À qui penses-tu vraiment ? À celui qui est nu devant toi ? Aux mains d'un amant ? À la bouche du précédent, à la force du suivant ? Tu penses à tous. Tout le temps. À tous tes hommes. Puis à d'autres. Ta liberté est ton esprit. Et ta faiblesse sera ta force.

Les expériences sont-elles héréditaires ? Qu'avait connu ta mère ? A-t-elle eu plusieurs amants ? Certainement, mais on ne parle pas de ces choses-là.

111.

À la suite de la mort de ton frère, tu avais décidé de ne plus revoir tes parents. Mais certains jours, tu ne peux t'empêcher de penser à eux. Que deviennent-ils, que font-ils ? Comment gèrent-ils leur vie et l'absence de leurs deux enfants ? Peut-être qu'un jour tu envisageras de les revoir si vous apprenez enfin à vous taire. Et à vous regarder avec des yeux qui disent ce que les mots dissimulent.

Tu laisses Marc de côté et tu gardes ce secret sur ton visage. Une lueur indescriptible au fond des yeux comme si tu étais passée derrière la face cachée du monde. Tu aimes le regard qu'il porte sur toi. Soyeux. Délicat. Dans un éclat qui te lie. Une chose rare dont tu ne peux déjà plus te passer. C'est certain, Marc représente cette image d'espoir que tu as tant attendue. Et, pour la première fois, tu y crois.

112.

Marc travaille pour une banque privée. De celles qui n'ont pas besoin d'avoir pignon sur rue. Qui travaillent à guichets fermés. Une banque étrangère dont l'administration est en Suisse. Car il n'y a pas que les banques suisses en Suisse. Non, il y a toutes les autres. Parce qu'elles ont toutes leurs secrets à garder. Une banque, c'est un coffre géant dans lequel on met ce qu'on veut. Le centre et la protection du monde capitaliste. Une combinaison bien étrange. Et pourvu que l'on ne sache pas ce qu'il y a. Par son passé et par tradition, Genève est la capitale mondiale des banques privées. La première richesse du pays reste l'argent. Celui des autres. Heureusement qu'il y a le jet d'eau pour donner un peu de verticalité à cet ensemble douteux. La Suisse, avec sa qualité de vie extraordinaire vous dira-t-on, mais qu'est-ce qu'on peut s'y ennuyer !

113.

Marc a vingt-huit ans. Il en paraît toujours seize. Il gagne très bien sa vie. Il est intelligent. Beau. Généreux. Il est également maniaque. Il faut certainement être maniaque quand on fait ce genre de métier. Il est organisé, ordré, propre. Il lui manque un peu de folie dans l'âme. Son emploi du temps est mesuré, calculé. Et il ne se fait jamais dépasser. La veille, il sait ce qu'il fera le lendemain. Comme beaucoup d'autres personnes, mais sûrement pas toi. Tu n'as jamais su ce que tu allais faire le lendemain. Et tu ne le sais toujours pas. Ça ne t'a jamais intéressée d'anticiper les tâches quotidiennes. Tu manges quand tu as faim. Et tu dors quand tu as sommeil. C'est aussi simple que ça.

114.

Marc aime le sport. Il est ce qu'on appelle un sportif urbain. Un sportif de salon. Il fait du tennis, du squash et du fitness. Il ne fume pas. Il n'a jamais tiré sur un joint et jamais pris une ligne de cocaïne. Heureusement il aime boire. Il doit juste apprendre à se tenir. Qu'au-rais-tu partagé en vivant au côté de quelqu'un qui n'a aucun vice, dont l'existence est une suite logique de faits et de gestes ? Pour qui le passé n'existe pas, ne le hante pas et pour qui le futur se résume à une équation arithmétique, un calcul de probabilité ? Pour des vacances passe encore, mais cela manque un peu d'émotions et de sentiments... Tu te réveilles, tu te laves, tu prends une douche, tu te brosses les dents, tu fais les courses, tu travailles, tu baises, tu chies et tu t'endors... Tu en serais devenue folle !

115.

Marc n'aime pas se laver les dents avec une brosse mouillée. Il la sèche donc après chaque utilisation. Comme il nettoie le miroir de la salle de bains à chaque fois que tu laisses des traces de dentifrice. Il a gardé le silence pendant deux semaines. Ensuite, il a craqué calmement. Il ne comprend pas comment tu peux te regarder dans une glace si dégueulasse. Il y a des jours, c'est clair, tu en as assez de le voir astiquer de long en large. Qu'il te fasse des remarques quand il t'arrive de ne pas te laver les mains en sortant des toilettes. Parce que tu es pressée. Ou que tu es au téléphone. C'est très vexant d'être rappelée à l'ordre.

Marc n'aime pas faire de tache. Où que ce soit. Même en déplacement. Même les premiers jours qu'il a passés chez toi. Dans ton univers ! Il avait déjà des gestes appropriés. Qu'il n'a fait que répéter. De plus en plus vite à force de venir.

Marc est systématique. Ses chaussures, les clés de sa voiture, les clés de la maison, son porte-monnaie et ses lunettes sont toujours au même endroit. Ainsi que les deux mouchoirs en papier et le beurre de cacao qu'il utilise en permanence. Ses gestes sont précis, sans aucune nervosité. Pas d'hésitation non plus. Il n'y a qu'avec le rangement de la cuisine que vous partagez un point commun. Tout est recyclé. Les bouteilles en plastique. Les bouteilles en verre. Le papier. Même l'aluminium. Par contre, Marc nettoiera les bouteilles avant de les entasser dans leur panier. Question d'odeur. D'ailleurs, tout ce qu'il touche, il doit le sentir. Il est constamment en train de porter ses doigts à son nez. Une fois la vaisselle faite, il n'y a pas une goutte d'eau qui traîne dans l'évier. Il est comme neuf. En fait tout ce que Marc possède a toujours l'air d'être neuf. Les chaussures, les objets, les vêtements qui sont reprisés par maman ! Au pied de son lit, sur la chaise réservée à cet effet, ses vêtements sont pliés par ordre de grandeur. Au sommet de la pile figurent évidemment les chaussettes. Quant à toi, elles sont sous le lit, derrière la chaise, jamais en contact avec les autres vêtements. Le matin, la couette est à chaque fois secouée par la fenêtre. Aérée même quand il pleut. Ensuite, il la plie soigneusement en trois parties égales. Comme une grande enveloppe, dans le sens de la largeur. Dans la chambre d'amis, qui ne pourrait être que la chambre à bordel dans tout autre appartement, Marc possède une armoire remplie de double, de triple, comme tu l'appelles. Une armoire sans fond. Une réserve toujours pleine. Quels que soient les mois de l'année. Il n'a pas encore terminé un produit (un savon, une lotion, un dentifrice, une poudre à lessive, etc.) qu'il le remplace déjà. La guerre pourrait éclater que tu ne t'en rendrais pas compte. Il ne peut pas attendre d'arriver à la dernière goutte. Apparemment ça l'angoisse et il a peur de manquer.

116.

Marc t'annonce qu'il veut quitter son travail. Il en a marre. Sa banque lui a payé des cours pour devenir analyste financier. Mais ne peut pas lui offrir une place correspondant à son nouveau statut. Le taux de chômage à Genève est à son point culminant. Du jamais vu en Suisse. Est-ce la période idéale pour donner son congé ? Les chiffres rouges sont sévères mais tu ne vas pas raconter comment ce pays fonctionne. Proche de ses sous, proche de ses atouts, la Suisse n'a pas peur des fausses images. Elle s'en fout. Ou du moins elle semble s'en foutre. Et, paradoxalement, elle ne peut vivre que par le regard des autres.

Vous vous êtes rencontrés un 6 décembre. Avec les trois mois de préavis, il finit de travailler, vacances déduites, le 16 mai. Tout ce que tu parviens à lui dire :

— C'est vraiment ce que tu veux ? Tu en es sûr ?
— Oui.

Le sujet est clos. Tu sais bien que sa décision est prise. Tu le connais suffisamment, même après trois mois. Mais, en ce qui te concerne, ce n'est pas aussi simple que son oui point à la ligne. Non, dès ce moment, tu envisages toutes les possibilités qu'il a certainement déjà considérées. Tu as besoin de savoir que tu n'es pas responsable de ce choix. Tu t'es montrée suffisamment critique vis-à-vis de son travail. Et puis d'abord, qu'est-ce que ça veut dire le 16 mai ? Qu'il n'a plus de travail ? Qu'il est en vacances ? Tant mieux pour lui. Comme il se plaint que vous ne vous voyez pas assez. Mais est-ce que ça voudrait dire qu'il aimerait venir chez toi ? Effectivement, il y a la place. Mais tu ne l'imagines pas vraiment à la campagne. Qu'a-t-il derrière la tête ? Il donne son congé sans avoir trouvé un autre poste. Il veut faire un break. Lui qui a toujours travaillé depuis qu'il a seize ans. Très bien. Mais toi, tu as du travail. Avec ces nouvelles illustrations, tu as laissé de côté l'histoire pour enfants que tu dois rendre à la fin septembre. Tu as pris du retard. Tu n'as donc pas de vacances. Tu ne peux t'empêcher de lui dire que d'arrêter, du jour au lendemain, un travail sans avoir de projet n'est pas si facile que ça. Lui qui a toujours besoin de bouger. Il aura du temps mais moins d'argent. Et puis un jour, il n'y aura plus rien. Que du temps. Il me dit qu'il a assez d'argent de côté pour pouvoir vivre tranquillement pendant quatre mois. Tu n'as décidément rien à lui apprendre. Tu n'as jamais eu d'argent. Ta famille en a. Ton mari en avait. Alors voilà.

117.

Marc est incapable de s'imaginer être seul. Et s'il
prend tout ce temps pour lui, ce n'est en aucun cas
pour le passer sur une île. Au fond de toi, tu as peur
de perdre ton indépendance. C'est navrant de ta part
de ne pas pouvoir te réjouir avec lui. Comme tu ne
peux rien garder pour toi, tu lui en fais part. Il te
regarde tranquillement, l'air de dire, ne t'inquiète pas,
je ne vais pas t'étouffer.

Il ne veut pas faire un voyage autour du monde. Il
ne veut pas partir sac au dos pour un de ces grands
périples qui changera sa vision du monde. Il ne veut
pas découvrir l'Inde. Les civilisations perdues d'Amérique latine ne l'intéressent pas plus que ça. Il ne veut
pas descendre la Cordillère des Andes. Les États-Unis,
il connaît déjà. Il aime le train, mais pas au point de
passer une semaine à traverser la Sibérie. La Chine et
l'Afrique lui font peur. L'Australie l'ennuie. Il ne se
sent pas à l'aise avec la gentillesse exacerbée des Asia-
tiques. Et le Moyen-Orient ? Tu ne sais pas ce qu'il en
pense. Et il n'a que faire d'un voyage qui lui retourne-
rait l'estomac. De toute façon, la destination importe

peu. Marc n'est tout simplement pas un aventurier. Toi, tu restes.

— Viens avec moi !

Tu n'es pas sûre de comprendre. Il ne veut donc pas venir squatter chez toi ? Il ne veut pas partir seul. Tout ce dont il a envie, c'est de partager. Il préfère rester en Europe. Deux mois en Espagne pour parfaire son espagnol. Et deux mois en Italie parce qu'il a une maison de famille au bord du lac Majeur.

118.

Ta vie a toujours été de bohème. C'était ton choix.
Simple à gérer quand on est seule. Quand tu es deux,
il y en a toujours un pour qui cela demande un peu
plus d'effort. Marc vient d'une autre planète. Il est
jeune et c'est lui qui t'invite pendant quatre mois. Au
bord de la mer. À vous languir au soleil. À manger des
crustacés. À déguster de bons vins frais. À faire l'amour
sur des terrasses ombragées. À regarder le soleil se
coucher au son d'une guitare sèche. À voir Madrid.
Séville. Cordoue. Grenade. À galoper au milieu des
champs d'oliviers. À danser du flamenco. À vous reposer dans un patio. À vous promener au milieu des oran-
gers. Et puis, il y aura encore l'Italie. Milan, Turin. Le
Piémont. Le Nord avec ses sept lacs. Le lac Majeur, le
lac de Côme, Lugano et tu ne te souviens pas des
autres. Tu découvriras peut-être le mystère des îles Bor-
romées. Tes grands-parents y passaient une semaine par
année pour voir fleurir les bougainvilliers. Avant tout
le monde. Tu n'y es jamais allée. Et puis, toi qui es
addicte aux pâtes et aux pizzas... Vous visiterez l'Europe comme des aristocrates du début de XIXe siècle.
Mais c'est un rêve que tu ne peux accepter. Tu as peur
de lui en être redevable. Et votre histoire doit rester un

conte de fées. Tu refuses. Tu essaies de le convaincre de partir avec un ami. Tu le rassures. Ce n'est pas quatre mois qui vont changer quoi que ce soit entre vous. Il faut que ce break soit une expérience unique. Qui le marque. Et tu sais que tu n'es pas la bonne personne.

119.

Tu en parles à ton amie. La seule que tu as gardée.
Celle que tu présentes comme ta plus vieille amie. Elle
qui n'a que six ans de plus que toi. Celle qui, lors de
ton enfermement, ne t'a jamais laissée tomber. Celle
qui t'écrivait de longues lettres et qui t'envoyait des
paquets pleins de surprises et de gadgets débiles. Vous
vous êtes rencontrées quand tu avais dix-huit ans. Elle
était la meilleure copine du frère de ton petit ami. À
l'époque, vous ne vous appréciez pas beaucoup. En
revanche, le jour où tu t'es faite larguée, tu l'as croisée
en ville par un malencontreux hasard. Tu n'en menais
pas large. Tu avais tellement la rage que tu ne pouvais
même pas pleurer. Elle a une façon unique d'écouter.
Elle écoute avec son cœur. C'est ton ange. Et c'est
encore mieux quand il est visible sur cette terre et qu'il
habite la même ville. Comme vous n'avez pas toujours
le temps de vous voir, vous passez des heures au téléphone. Enfin, c'est elle qui t'appelle le plus souvent.
Elle sait que ton budget est limité. Vous faites alors le
ménage ensemble. Chacune de son côté. Et vous vous
racontez. Tu la connais depuis longtemps, mais, à
chaque fois, elle te fait rire autant. Sa décadence, sa
fraîcheur, sa fidélité. Elle n'oublie rien. Elle te rappelle

même tes rendez-vous. Tu peux compter sur elle à n'importe quel moment. Tu l'adores parce que sous son air de madame bien élevée, bon chic bon genre, toujours habillée de soie et de cachemire, c'est une déjantée de première. Une invétérée des joints. Des petites boulettes qu'elle éparpille un peu partout sur elle. Elle t'épate. Les personnes dont le début de vie a été scabreux deviennent lumineuses si elles réussissent à dépasser leurs souffrances. Dans sa famille, elle en a bavé. Une enfance secouée. Bouleversée. Mais elle a su se surpasser. Pardonner. S'ouvrir aux autres. Elle est la seule qui te soit restée fidèle. Pour ce que tu as commis, elle aurait eu toutes les raisons du monde de t'en vouloir. Mais comme elle te le répète souvent, c'est ça l'amour. Car son rêve, plus que quiconque, était d'avoir des enfants ! Mais la vie lui a refusé ce cadeau.

Avec tous ses visages différents, elle te surprend souvent. Elle est généreuse. Elle est belle. D'une beauté étrange. Avec son sourire qui te donne toutes les réponses en suspens. Elle t'agace profondément. Et elle t'enchante glorieusement. Car elle est forte et fragile. Elle est à elle seule tous les paradoxes de la vie. Elle qui n'a aucune confiance en elle et qui fait peur à tout le monde. Elle a eu d'innombrables amants. Il suffisait qu'elle agite la main. Elle souriait. Et des yeux pleins d'envie s'allumaient. Elle avait un don pour trouver celui qui la baiserait le mieux. Avec ce qu'il y avait de mieux. Elle aimait le sexe. Elle mangeait les hommes et les oubliait aussitôt. Elle n'avait aucune mémoire. C'était pour elle une perpétuelle première fois. Les hommes se laissaient dominer. Et dans l'intimité la plus charnelle, les rôles sont de moins en moins définis et le sexe n'a plus d'odeur. Elle était elle. Parfois une autre. Souvent la même. Plusieurs personnalités réunies dans un même corps. Elle ne se définissait pas. Elle se vivait. Elle se créait et allait jusqu'au bout. Sans aucun tabou. Elle aimait son corps et celui des autres. Elle aimait ses cuisses, son ventre, ses mains et ses petits seins. Mais c'est l'autre qui lui donnait cet amour.

Tu lui as demandé ce qu'elle en pensait et elle t'a dit : vas-y, profite et écris-moi !

120.

Avant de vous envoler de Genève, tu es allée rendre visite à ton oncle. Ce fut un choc. Tu l'as à peine reconnu. Il a tellement maigri. Son corps s'est séché. Son visage a blanchi. La chimio le ronge et le fatigue sans le laisser tranquille. Tu es prise de vitesse. À court de mots. Tu ne sais pas quoi dire. Les formules d'usage sont déplacées. Tu es juste là. Pour lui et ta tante. Pour eux qui avaient tellement compté pendant ton adolescence. Ton oncle était le seul homme que tu admirais, le seul que tu respectais dans cette famille de bigots.

Dans le salon, il est assis à table où il fait un puzzle. Il reconstruit une image de montagnes enneigées alors qu'il a construit des ponts dans le monde entier. En voyant ton regard étonné, il te dit qu'il ne peut plus lire. Et qu'il faut bien trouver une occupation. Est-ce du courage ou de la résignation parce qu'il ne peut se permettre de partir sans se battre ? Comment réagir quand chaque matin te rapproche de ta mort ? On ne peut que se taire. Ton oncle a déjà eu le temps d'y répondre. C'est de souffrir dont j'ai peur, pas de mourir, te dit-il. Et contre la souffrance, la médecine n'est jamais assez puissante. Il mourra alors qu'il essaie de survivre. Tu tentes de cacher tes émotions. Tu leur parles de ton voyage et de Marc. Tu regardes ton oncle, ses pensées tournées vers son passé, tandis que tes préoccupations ne concernent que l'avenir. Dans quelle mesure peux-tu encore le comprendre ? Dans quelle mesure peux-tu te comprendre ? À peine une demi-heure plus tard, tu les quittes avec un sourire figé. Tu ne sais comment lui dire adieu tandis qu'il te souhaite un bel été. À ta tante qui te raccompagne à la voiture, tes mots ont failli. Elle qui depuis toujours t'a soutenue. Elle qui ne t'a jamais jugée. En silence, tu la serres dans tes bras. Tu sens que cette proximité la gêne. Elle qui restera. Dans le rétroviseur, elle agite sa main bienveillante pour te dire au revoir.

Dans la voiture, tu t'en veux d'être venue les voir juste avant ton départ. Tu te trouves égoïste. Quand tu sais que c'est la dernière fois, tu aurais pu leur envoyer ces quelques mots, je pense à vous dans ces moments difficiles. Ou simplement, je pense à toi et je t'aime.

121.

Cette dernière soirée fut comme le dernier jour de l'année, comme le dernier verre avant d'aller te coucher. Tu t'endors aux côtés de Marc, heureuse de laisser derrière toi ta campagne pleine de brouillard. Marc s'est occupé de louer un appartement face à la mer près de Malaga. Deux mois pendant lesquels vous allez vivre d'amour et d'eau fraîche comme un long voyage de noces et redécouvrir la vie à deux. Tu profites de ce changement d'air pour arrêter de fumer. C'est ton premier jour. Tu apprends à serrer les fesses. Tu transpireras suffisamment au fitness et tu joueras au tennis.

Quatre heures du matin. Ta tête tourne. Tu as mal au ventre. C'est l'heure de se lever. Les yeux collés malgré la douche brûlante, tu n'arrives pas à te réveiller. Marc s'occupe des dernières affaires. Les bagages sont dans l'ascenseur. Dehors, il pleut. Le taxi arrive. Tout est gris. Aveuglant. À l'aéroport, il n'y a rien à faire, même pas de cartouches de cigarettes à acheter au duty free. Une fois dans l'avion, après avoir pris un calmant, tu commences à te détendre. Dans cet état, tu profites du décollage pour sentir cette puissance te coller à ton siège. Les vibrations assourdissantes remplissent l'espace clos. Tu penses à ta mère. À son ventre. À sa chaleur. À ton arrivée en ce monde. Le décollage te fait revivre ta naissance. Marc dort déjà. Tes yeux se ferment. Et tu t'endors aussitôt.

122.

Votre première nuit dans votre nouvel appartement est mouvementée. Tu dors difficilement quand tu n'es pas habituée à la chambre, au lit et à la lumière. Tu es insomniaque comme la gardienne de l'inconscient. Tu te lèves. Les idées se fracassent les unes contre les autres. Tu regardes la mer, l'agitation de la ville qui s'étouffe dans les vagues. Et Marc qui dort, qui ronfle et qui a la fâcheuse habitude de se coller dans ton dos. Quel bienheureux ! Enfant, tu n'es venue qu'une fois en Espagne. Tu ne te rappelles plus où. Tout ce dont tu te souviens c'est de la marée de méduses. Tu étais restée sur le rivage, avec ta bouée et tes manchons. Tu avais regardé ces masses gélatineuses et, avec un bâton, tu t'étais amusée à les embrocher.

Tu te trouves au dix-septième étage d'un immeuble des années cinquante, une longue barre qui recouvre le seul rocher de la côte. Face à la mer, la Costa del Sol s'étend à perte de vue. Tu es en Andalousie, le pays des oranges, du soleil, de la plage au sable noir qui brûle les pieds. Tu ne sais pas vraiment ce que tu ressens. Tu ne sais pas comment te définir. Et tu n'en as aucune envie. Tu te sens

désœuvrée comme débordée. Proche de l'évanouissement. Seras-tu prête à partager ? Seras-tu prête à
parler ?

123.

Ce matin, comme tous les suivants, Marc se lève avec le sourire tandis que le soleil vous réveille. Il viendra sous ton drap t'embrasser la nuque. Te réchauffer le dos avec sa main tendue, les doigts écartés, pour couvrir la plus grande surface de ta peau. Elle monte et descend, parcourant ta colonne vertébrale. Tu adores cette sensation de chaleur qui te paralyse. Maintenant que tu ne fumes plus, il n'a plus à se plaindre de ton haleine de poney et en profite pour t'embrasser. Il a souvent l'impression que tu te fous de lui et de son visage à moitié réveillé. Il te fait penser à un ours ou à une souris perdue au milieu d'un océan blanc. Il dort comme un enfant, sa main repliée sous son menton. Comme s'il suçait son pouce. La vie est belle quand elle est simple ! Partager l'aube avant même que le soleil vous réchauffe. Ses reflets argentés donnent une image un peu grise ce matin. Le temps hésite encore à devenir indulgent. Marc enfile ses pantoufles qui ressemblent à deux balles de tennis écrasées. Son goût pour les chaussures est assez étrange, mais tu t'en fous royalement. Tu aimes entendre sa démarche dans l'appartement. Pendant ce temps tu continues de somnoler. Tu l'entends se préparer. Un rituel ordonné. La chasse d'eau, la trompette de la mort quand il se mouche, le rideau de douche, la serviette de bain qu'il secoue sur le balcon, le moment de silence qui se déroule devant le miroir, à s'inspecter la peau. Il a la chance de ne se raser que tous les trois jours, il est non seulement imberbe du torse, mais son visage l'est tout autant. Ses yeux sont verts, ses cheveux noirs, son nez grand et large. Et le petit déjeuner est préparé et servi sur le balcon quand tu sors de la douche. Café, jus de fruit frais, yaourt et de temps en temps du pain. C'est certain, il prend son pied à te faire plaisir. Vous commencez la journée dans la plus pure tranquillité sans beaucoup vous parler. Il part à ses cours avec son sourire de travers et son sac en bandoulière. Et toi, tu restes à la maison.

124.

En bas, dans la ville, les chantiers vont bon train, les marteaux-piqueurs répètent à l'infini leur refrain et les poids lourds leur chorégraphie. La Costa se refait une peau neuve. On repeint en blanc les façades des immeubles. Toutes les taches de l'hiver disparaissent sur cette nouvelle couche de neige. Dans les parcs, les jardiniers nettoient les palmiers. Ils taillent, ils coupent, ils ramassent les branches jaunies par le froid. Les palmiers ressemblent à des ananas géants.

Vous êtes arrivés avant le début de la haute saison. Dans quelques semaines, trois tout au plus, les touristes en grand nombre s'agglutineront sur la plage. Les stations balnéaires palpitent au gré des vacanciers même si l'hiver ici se résume à deux mois. Les martinets qui nichent dans la paroi de l'immeuble se dépêchent de faire le plein de moucherons et d'insectes. Ils tournent et tournent dans une vitesse qui frise l'étourdissement. Et dire que ces oiseaux sont contraints de voler pendant les deux premières années de leur existence sans jamais se poser. Leurs ailes trop grandes les empêcheraient de redécoller.

125.

Les voyageurs sont des gens heureux qui veulent rencontrer l'indigène croyant pouvoir lui ressembler. Le touriste, lui, est incapable de s'ouvrir à l'autre. Tout ce dont il a besoin c'est d'avoir le plus de temps possible pour ne surtout rien faire. Il veut se reposer, c'est-à-dire manger, boire et dormir. Avoir davantage qu'à la maison pour un prix dérisoire. Et puis, le dernier jour, il s'efforcera de trouver une petite attention, un souvenir pour sa petite-fille ou son gendre. Il y mettra du cœur et un peu d'argent. Ne se doutant pas une seconde que ce bijou finira certainement dans une boîte à chaussures ou sous le sapin de Noël des plus défavorisés, s'il ne termine pas dans un sac-poubelle. Pensez à ceux qui n'ont rien, c'est déjà bien. Le touriste n'a pas peur du ridicule ni de toutes ces babioles inexportables et inutilisables une fois les vacances finies. Aurait-on un jour le droit d'interdire de présenter de telles horreurs ? Entre les gadgets vulgaires, les T-shirts aux slogans bidons comme si on n'avait pas assez à lire, les costumes de bain brodés, la lingerie, la viscose, les assiettes, les plaquettes, les statuettes, les serviettes de bain qui colorent le sable, les cendriers en céramique, les couteaux et les épées gothiques en plastique, les lunettes de soleil qui se cassent après deux jours ou ces jolies señoritas aux robes crochetées servant à cacher les rouleaux de papier de toilettes. Non, on ne pourra rien y faire. Cela plaît au touriste. Comme toutes ces putes qui, sur le trottoir, doivent se confondre dans leurs goûts douteux, les cheveux teints, saucissonnées dans des habits trop petits, exagérément maquillées, ne pouvant plus se tenir sur leurs jambes mal épilées. La douleur dans les hanches à force d'attendre le touriste hésitant qui ne peut plus sourire ni être poli. Après avoir trouvé de l'aplomb dans quelques bières bien fraîches, celui-ci reviendra à la charge avec son gros ventre suant sous cette chaleur suffocante et puisqu'il paie, il se croira tout permis. Pas simple de prêcher l'amour dans ces destinations balnéaires aux masses informes. Mais parmi cette foule insipide, tu te sens heureuse puisque tu n'auras rien à attendre. Juste le retour de Marc. Le soleil inonde ta tête. Une odeur de jasmin émane des rues fraîchement arrosées nettoyant les restes sordides de la veille.

126.

Tu t'es rendormie, tu as froid, tu termines ton rêve, ton dos te fait mal, tu veux profiter de cette grasse matinée pour ne rien faire, juste somnoler, la fenêtre grande ouverte. Le bruit des vagues dix-sept étages plus bas, le vent léger qui souffle les rideaux, déjà une lessive qui sèche sur le balcon. Et la vaisselle qui remplit l'évier. Tu t'endors un livre à la main. Dans ton sommeil, tu es transportée dans ton jardin d'enfance. Tu respires la douceur du matin. Tu entends les oiseaux chanter sans fin. Tu te laisses bercer par leur tourbillon. Il n'y a aucun danger à l'horizon. Que l'immensité de la mer. Personne ne t'en veut. Tu sais que tu pourras t'en sortir. Tu ignores encore comment. Dans un monde comme le tien, si on ne t'aide pas, tu n'y arriveras pas. Ce sera une question de temps. Ou avec Marc, ce garçon doué de temps. Le ciel renvoie en écho tes murmures. Marc fait partie de ces personnes qui sont exactement les mêmes au-dehors et au-dedans, dans ce qu'elles disent et ce qu'elles font. Avec lui, l'être et le paraître se confondent. Et tu ne peux pas rester indifférente. Cette valeur est au-dessus de toutes. C'est en quelque sorte atroce, mais il n'a pas à s'améliorer. Ce n'est pas un saint. Mais il ne trompe personne. Il n'est pas là pour plaire. Ni pour mentir. Toi, tu continues à t'examiner et à essayer de t'améliorer. Et tu te fatigues. Tu te caches derrière tes expériences. Mais dès que tu n'es pas contente de toi, cette énergie se dirige contre Marc. Tu oublies de respirer. Tu te comportes exactement comme tes anciennes connaissances envers toi. Celles que tu as quittées pour les mêmes raisons. L'histoire se répète et tu n'inventes rien. Deviendrais-tu exactement comme ceux que tu as fuis ? Dans ce mélange touffu et confus, tu es ton père, ta mère, ton frère, tes anciens amants, tes amours d'enfance. Tu es Paul, Pierre, Jacques et Jean. Tout va vite, de plus en plus vite, beaucoup trop vite pour que tu puisses en faire le compte.

127.

Toi et lui. Lui et toi. Pour vos différences. Pourvu qu'elles ne soient pas là pour vous tuer. Il est si facile de détruire l'autre. Le pouvoir de la pensée, la peur de l'inconnu et le refus d'accepter sont des armes étonnantes.

Il est terre à terre. Tu es une rêveuse. Il aime la compagnie. Tu es une solitaire. Il est heureux quand il peut passer du temps avec toi. Tu as besoin d'espace. Il a des idées très concrètes. Tu aimes flâner sans avoir aucun projet en tête. Il a horreur du vide. Tu es contemplative. Tu te perds facilement en te promenant. Il a un très bon sens de l'orientation. Tu ne sais jamais quelle heure il est. Il ne peut vivre sans une montre à son poignet. Tu aimes le silence. Dès le matin, il fredonne ou écoute de la musique. Tu n'apprécies pas ce qu'il écoute. Pourtant tu dis que tu t'en fous. Il a besoin de caresses. Le contact physique parfois t'agace. Tu aimes faire la sieste. Il a la bougeotte. Il aime établir des listes exhaustives et cocher chaque petite case. Tu as besoin de te laisser aller à ne rien faire. Il aime le sport. Toi aussi. Il aime manger. Toi aussi. Il aime baiser. Toi aussi mais il y a les périodes sans. Sans amour, sans sexe, sans chaleur, sans câlins.

Tous les soirs, il aime savoir ce qu'il va manger le lendemain. Tu peux être vite écœurée. Il n'est pas indiscret. Tu es d'une curiosité malsaine. Tu es tête en l'air. Il se fout de ce que les autres pensent. Tu as besoin de séduire. Il n'aime pas se promener sous la pluie. Tu n'aimes pas les parapluies. Tu ne supportes pas les fleurs coupées. Et tu serais plutôt du genre à aimer les tulipes noires. Lui, il se fout de la nature. Mais il apprécie la montagne en été. Il n'aime pas l'eau froide. Tu n'es pas frileuse. Tu n'aimes pas perdre. Il aime gagner. Tu aimes avoir le dernier mot. Tu hésites sans arrêt. Il est le roi de l'anticipation. Tu es insomniaque. Il dort n'importe où. Il ronfle. Tu grinces des dents. Il ne fume pas. Et tu viens d'arrêter. Il boit. L'alcool te rend agressive mais cela ne t'empêche pas d'en boire. Tu angoisses. Il est calme. À l'extérieur tu bouillonnes. Lui, ça se passe à l'intérieur. Tu t'énerves facilement. Il garde son calme. Il veut te comprendre. Tu sais que tu ne le comprendras jamais. Il ne te veut aucun mal. Tu pourrais certains jours le gifler. Il n'est pas pervers. Tu es une anguille. Il n'est pas faux-cul. Tu ne dis pas toujours ce que tu devrais dire. Il n'est pas jaloux. Tu envies ce que tu ne pourras jamais avoir. Tu peux être une mauvaise langue. Il n'est pas snob. Tu cherches facilement l'embrouille. Tu es très forte à dire ce que les autres aimeraient entendre. Tu n'as aucune confiance en toi. Tu es souvent en retard. Et il t'arrive de mentir sur ton âge. Et lui, et lui... Il est trop rationnel. Il n'est pas spirituel. Il peut être cynique mais n'a aucune prétention dans son regard. Il n'attend pas qu'on le félicite. Il ne te fait jamais de compliments. Il connaît sa propre valeur. Il est si jeune. Il ne veut aucune barrière. Aucun compromis. Il a besoin de te comprendre comme il est de son âge de se connaître. Il veut tout partager pour enfin savoir ce dont il a besoin. Ce qui est sûr c'est qu'il a besoin de toi comme tu as besoin de lui.

Tu n'aimes plus avoir des conversations trop intimes. Tu as juste envie de vivre ! Tu veux partager ton existence sans en parler. Tu ne crois plus aux idées. Ni aux mots. Toute explication te paraît une justification. L'aimer, c'est te laisser aller. C'est aussi aimer ce que tu n'aimes pas vraiment ! Marc est entier. Simple. Un épargné de la vie. Et toi, une rescapée. Tu as été maltraitée et à ton tour tu as maltraité. On t'a rejetée. On t'a maudite. Avec lui, tu veux être libre. Et tu le désires libre aussi. Votre différence d'âge crée une dépendance. Pas forcément nuisible. Mais elle sera toujours présente. Tu n'as pas d'avance, juste un peu plus d'expérience.

128.

Vos deux lits côte à côte glissent au moindre geste et au moindre mouvement. Impossible de dormir l'un avec l'autre. Vous n'allez pas passer deux mois à vous regarder dormir. Une fois les deux sommiers ligotés, il est temps de commencer de nouveaux jeux. Vous changez de place et vous changez de rôle. Il glisse vers toi. Devant toi. Tu sais que le moment est venu, il veut quelque chose de précis. Droit dans les yeux, son regard sans un mot te dit :

— Louise, je suis à toi, fais de moi ce que tu veux, prends-moi, retourne-moi, j'aime ce que tu aimes, je veux connaître la façon que tu as de découvrir mon corps, guide-toi de tes doigts et écoute mes soupirs. Je suis à toi !

Tu as souri. Certainement rougi. Tu avais bien entendu. Et cela faisait longtemps que tu en avais envie. Mais tu ne te serais pas permis. Ce sera donc pour aujourd'hui. Tu te plonges en lui. Tu as peur de lui faire mal. Tu y mets du tien. Tu remontes en lui pour atteindre son cœur. Par son abandon, il te montre qu'il se sent libre. Que vous êtes libres. Et qu'avec vos corps, vous ferez ce que vous voudrez. Tout est à disposition. Vous n'avez besoin que de vous-mêmes. Et d'un peu de légèreté. Que Dieu est bon ! Il dégage une de ses mains et te caresse. Tu es si excitée que tu es déjà en train de jouir. Vous vous regardez. Et vous éclatez de rire. Ses jambes sont coupées.

Dehors, le soleil frappe sur la baie vitrée du balcon. Vous suffoquez. Tu te lèves pour descendre le store à fleurs et la pénombre redessine le pourtour de vos corps. Dans cette légère fraîcheur, vous reprenez votre respiration. Et vous restez silencieux. C'est le temps de l'indifférence. Collés l'un à l'autre, tout se fond dans le décor. Bizarre mais pas bizarre. Désinvolte mais sérieux. Vos quatre mains se confondent. La nature est créatrice et généreuse. Elle sera votre source d'inspiration. Une brèche s'est ouverte et les eaux de la terre rouleront sur vous. Tu chatouilles Marc. Tu l'embêtes. Tu le chahutes. Lui qui est capable de s'absenter de lui-même. Un vase creux dont jamais une goutte ne débordera. Une façon pour toi de toucher peut-être son âme. Réveiller un fleuve souterrain. Comme une érection inattendue.

129.

Dans ses moments de liberté, Marc cuisine, c'est une passion. Plus qu'un passe-temps. Il construit ses plats comme des tableaux. Des paysages où les salades deviennent des forêts, où nagent, parmi les champignons, des personnages de saison. Les poissons ou la viande sont des îles au milieu d'océans de sang ou de neige parcourus par des navires de carottes comme des continents qui volent dans des ciels d'oignons frais ou de citrons rassemblés autour d'une mousse de céleris ou d'un nuage de brocolis. Le soleil, une tranche de radis blanc. La lune, un radis rouge. Et les étoiles d'innombrables petits pois perdus dans le firmament. Les desserts sont exclusivement des tartes recouvertes de fruits exotiques ajustées comme des vitraux. Il passe des heures à planifier, à mijoter, à assembler, à décorer. Et vous mangez au rythme de la vie espagnole alors que le soleil s'est déjà couché.

À l'horizon, les avions commencent leur défilé lumineux.

130.

Le ciel se couvre d'une brume qui donne une blancheur inhabituelle au paysage. Tu ne sais pas vraiment ce qui ne va pas. Un mélange de tout. De manque de nicotine. De manque de plaisir. Pour compenser et te dépenser, tu fais une heure de tennis ainsi qu'une heure de fitness par jour. Mais cela ne semble pas te suffire. Toutes les nuits, depuis une semaine, tu fais des cauchemars violents. Tu pleures à plusieurs reprises. Dans l'un, on t'a enlevé Marc mais personne ne réclame de rançon et tu ne sais pas où chercher. Dans l'autre, un médecin trouve enfin ce qui te gratte dans la gorge. Lors de l'opération sans anesthésie, il retire un mille-pattes transparent en forme de croissant aussi grand qu'une main. Dans le suivant, tu passes ton oral de math pour le bac. C'est vrai, tu n'es pas contente de ton travail. Ni de son avancement. Tu ne connais pas encore la fin de l'histoire. Et tu angoisses.

Tu ne trouves pas les mots. Tu te laisses envahir par tes émotions. Tu n'es pas professionnelle. Tu écris une histoire pour enfant puisque tu n'en as plus. C'est un besoin. Ce n'est peut-être pas très sain. Tu ne fais qu'accroître ce manque. Mais tu y tiens. Devant ton ordinateur, tu es absente. Et tu n'es pas disponible quand Marc est de retour. De toute manière, il raconte rarement ce qu'il a fait le matin. Et quand il le fait, c'est expédié en deux minutes. Il a la capacité de changer de discussion comme il change de pièce. Il est disponible dans la seconde. Il a de la peine à comprendre que tu aies besoin d'autant de temps pour sortir de ton monde. Tant que le paysage n'est pas cerné, personne ne t'enlèvera le crayon de la main. Toutes ces photographies mentales à traduire avec des mots. Tous ces mots justes qui sonnent parfois faux. Il y a les jours avec, qui sont faciles à gérer. Tu es vite hystérique et remplie de joie quand ils glissent de tes doigts. Mais ce que tu dois apprendre, ce sont les jours sans. Sans inspiration. Sans énergie. Sens dessus dessous. Sans toi. Sans foi. Sans loi. Sans fin. Avec le temps qui s'en fout. Avec ces heures qui se perdent. Et cela depuis bientôt une semaine. Tu lui adresses à peine la parole. Tu l'évites. Chemin croisé dans l'appartement. Même si plus tard, beaucoup plus tard, tu sauras que tu n'as pas perdu ton temps. Les circonvolutions, les allers-retours, les détours. Tu ne reviens pas en arrière parce que le temps ne se rattrape pas. Le temps ne se perd jamais ! Tu n'aspires qu'au calme et tu demandes la paix pour pouvoir panser tes plaies. Tu n'as aucune fantaisie de l'instant.

Marc commence à se plaindre de ton manque de tendresse. Tu travailles trop. Tu le repousses et tu te maintiens hors de sa portée. Tu es une source d'eau froide. Dès qu'il te demande quelque chose, tu refuses en bloc, et c'est seulement quand tu le décides que tu es prête à donner. Tu ne penses pas à ses désirs. Et tu n'es pas patiente. Est-tu redevenue hermétique à l'amour ? Quand tu écris, c'est comme si tu faisais l'amour. Ta tête et ton corps sont envahis. Et le reste importe peu.

Vous vous êtes disputés hier soir, alors que la journée avait tout simplement été parfaite. Comme s'il fallait à tout prix tout foutre en l'air. Ta ride sur ton front se creuse, tes sourcils deviennent méchants. Tu aimes te prouver qu'on ne t'aura pas si facilement. Tu fonces dans le mur. Le bonheur serait-il anxiogène ? Tu te réveilles avec la gueule de bois, mais surtout avec le sentiment que tu as tout gâché. Tu t'es emportée. Et quand tu te fâches, même le vent est incapable de t'arrêter.

131.

Ces derniers jours, les montagnes avoisinantes deviennent menaçantes. Les incendies au loin poursuivent leur ascendance comme une sculpture de cendres soufflées par le vent érigeant un monument à la fragilité de la vie. L'équilibre est une chose volubile qui tournoie dans une danse dont la partition est toujours criminelle. Une fin qui rapproche toutes les fins. Par cette entaille qui brise la terre. Dans cette forêt désolée qui laisse une odeur d'encens d'église abandonnée. Dans ce sous-bois, la forêt apparaît comme une cathédrale fossilisée.

132.

Ce matin, tu t'es levée dans le brouillard. Deux mers superposées dans un va-et-vient inconstant. Tu es perdue sur ton balcon. Tu ne sais plus ce que tu sens. Et si tu ne sens déjà plus rien, c'est que tu es déjà très loin. Tu essaies de lire, mais les mots ne parviennent pas à se faire comprendre. Alors tu observes ce mouvement indécis. Tu te retrouves en montagne tandis qu'ici il n'y a aucune altitude. Seuls les martinets se réjouissent de ce jour blanc. La Semana Negra pour demain. Tu ne te reconnais plus. Tes pilules. Tes angoisses. Rien ne t'apaise. Tu oscilles entre les hauts et les bas. Marc ne peut plus te suivre. Tu te trouves dans une impasse. Tu n'es plus sensuelle. Tu vois la ressemblance de plus en plus frappante avec le comportement de Paul. Tu agis comme lui. Et Marc alors, jouerait-il ton rôle ? Non, tu ne le supporterais pas. À son insu, un fantôme se réveille. Et tu préférerais être internée.

Dehors, sur la plage, les filles se baignent à moitié nues. Les garçons les regardent avec envie. Leurs danses successives ne freinent plus leurs désirs. Elles se rassemblent pour discuter lequel d'entre eux elles préfèrent. Et la chaleur augmente leur convoitise.

133.

Tu te lèves et tu prends une douche. Un premier jet chaud pour te décontracter. Tu t'ébouillantes. Tu ronchonnes, pauvre conne. Tu baisses la température. Tu t'accroupis en coinçant le pommeau entre les genoux pour avoir l'eau contre la poitrine. Tu te savonnes dans une odeur de verveine. Une senteur légère, onctueuse comme une caresse. Un geste paresseux. Tu te rases sous les bras. Tu glisses et tu te coupes. Tu te sens mal, tu tournes et tu vires. Tu n'y arrives pas. Tu ne sais plus ce que tu fais. Tu pestes contre toi. Même si ça ne sert à rien.

Tu te sèches les cheveux avec la serviette. Tu passes le gant de crin sur ta peau encore humide. Tu attrapes l'arrière de tes cuisses. Ta peau d'orange t'obsède. Tu t'excites sur les mollets et jusque sous la plante des pieds. Quand tu t'énerves, tu te constipes. C'est chronique. Devant la glace, tu prends peur. Derrière tes fesses qui deviennent molles, sous tes lèvres qui se dessèchent, tes cheveux qui se cassent et tes cernes qui envahissent tes yeux, tu ressembles à une momie qui se languit. Tu penses pouvoir chasser les rides avec un antifatigue. Après les exfoliants, les purificateurs, les doubles sérums, les turn around, les water therapy, les beautiful for ever, tous ces hymnes à la jeunesse qui sont sensés te donner un peu d'ivresse.

Tes yeux enfin se dégonflent. Rien qu'en lisant ces nouvelles promesses. Le miracle des crèmes opère. Marc t'offre ces flacons qui adoucissent tes mœurs. Dans ces moments-là, tu emmerdes le monde alors que tu pourrais être heureuse.

134.

À trente et un ans, alors que la vie t'avait enfin permis d'avoir un enfant, tu as commis l'irréparable. Ton enfant est mort par ta faute. Un accident. Et on t'enferma pendant deux ans. Deux ans pour comprendre l'absurdité de la vie. Deux ans pour remettre Dieu à sa place. Pendant cet enfermement, le temps n'existait plus. Il n'y avait plus aucune saison. Plus de chaud ou de froid qui te tenait éveillée. Tu ne percevais aucun changement derrière ta minuscule fenêtre. Tu dormais. Ta tête était vide. Tes rêves avaient disparu. Un temps entre parenthèses dans le corps d'une morte vivante. Ce n'était pas toi. Et pourtant tu étais bien là. Responsable. Coupable. Tu respires à peine. Et dire qu'il y a des gens qui se sentent à l'étroit en pleine campagne, ou claustrophobes au sommet d'une montagne ! Ton humeur t'avait détruite comme la ville t'avait rendue malade. Cette ville qui était ton malheur. Dans laquelle tu ne pouvais que courir et tenter de rattraper le temps perdu. Tu ne pourras jamais l'accepter. Encore maintenant cette guerre est en toi. Et pourtant tu l'as fait. Devant la justice des hommes et la loi de Dieu, comment est-il possible d'avoir tué son propre enfant ?

Non pas pour un sacrifice ou sous un sermon divin. Mais par inadvertance.

Trop tard. Irrémédiable. Ton enfant dans tes bras. Son visage paralysé entre tes mains. Âgé de quelques semaines, devant ses bras tendus vers toi, tu ne savais plus ce que tu pouvais faire. Tu l'as secoué en croyant l'aider mais la mort s'en est mêlée. Quelques secondes et le reste de sa vie fut anéanti. Et la tienne transformée à jamais. Et il s'est tu. Tu l'as pris contre toi dans ce silence trop long. Dans cet espace en suspens. Pour le réconforter après ces longues heures où il ne s'arrêtait pas de crier. Tu avais tout essayé. Les câlins, les jouets, la musique, le sein, les couches, un bain. Rien n'y faisait. Il n'avait pas de température. Tu étais seule. Et tu as pris peur. Tu as appelé le médecin qui t'a dit que c'était passager, qu'il se calmerait de fatigue. Et puis. Et puis. À quoi pensais-tu ? Comme une claque dans le dos de la personne qui s'étrangle. Pour l'aider à reprendre son souffle, à entendre sa respiration se calmer. Mais son silence restera dans ton cœur. Et jamais tu ne pourras réparer ce que tu as fait. Pourrais-tu raconter cette histoire d'une autre manière ? Changer de place les mots. Les manipuler, les tordre par le bas ou par le haut. Tu hésites.

Tu es restée cloîtrée sans trouver le repos. Une remise de peine pour bonne conduite te fut accordée. La justice des hommes te laissait à nouveau libre. Tu es sortie de prison. Tu avais trente-trois ans. Libre, mais tu devais encore poursuivre ta propre condamnation. Le jour, tu te retirais du regard des hommes effrayés par ta propre détresse. Et la nuit, tu te perdais dans leurs bras bienveillants qui te montraient encore un peu de désir. Tu étais dans une recherche frénétique de Paul. À la recherche de son pardon que tu ne trouvas nulle part. Il y avait trop d'hommes autour de toi. Et personne ne semblait pouvoir te guérir. Que voulais-tu ? L'hypocrisie d'un conte de fées. Même pas. Tu savais que les histoires d'amour ne sont là que pour tromper. Elles distraient pour te faire oublier que le prince ne viendra jamais te chercher. Tu ne te réveilleras qu'avec une couronne d'épines sur la tête et du sang coagulé. Tu considérais les hommes comme des divertissements, des romans, bons à jeter une fois consommés. Tu les piétinais. Tu te confortais à n'être que la maîtresse de la mort. Toutes ces possibilités étaient des impasses.

À l'approche de tes trente-quatre ans, tu avais assez de la vie que tu avais menée depuis ta sortie de prison. Tu as décidé de mettre un terme à tes égarements. Tes mensonges. Ta fuite en avant. Tu ne désirais plus rien. Et quand le désir disparaît, c'est que la fin apparaît. Ta terre était rouge éclairée par un soleil de sang. Tu as décidé alors de rentrer.

135.

Le monde de Marc est un monde pacifique, un monde où la colère n'existe pas, un monde où les tensions et l'agressivité n'ont pas leur raison d'être. Il est un brin jaloux, juste ce qu'il faut. Il n'est pas dangereux. Il n'est jamais stressé, seulement pour prendre son train, mais il sait se taire. Tu es si proche de ton propre aveu que tu vrilles tous les quatre jours. La proximité te donne la rage. Tu te rassures que le bonheur n'est que pour les autres. Tu n'es pas capable d'être heureuse. T'es-tu déjà demandé si tu en avais vraiment envie ? Tu es triste à crever. Et Marc en perd le nord. Vous commencez à vous reprocher ce que vous ne vivez déjà plus après six mois. Vous brûlez le temps par les deux bouts. Vous devenez insatisfaits. Tu rêves de te retrouver chez toi. Et quand tu es chez toi, tu rêves de partir. Où que tu sois, tu te sens claustrophobe en plaine comme à la mer. On pourrait te fixer un masque à oxygène que tu n'aurais jamais assez d'air. Jamais assez d'espace. Jamais assez de distance entre toi et les autres.

136.

Après toutes ces morts volontaires ou involontaires, un désert s'est formé en toi. La terre sous tes pieds s'est desséchée. Ta peau s'est craquelée. Et elle tombera bientôt comme une mue. La mort de ton frère te poursuit encore. Même si un accident ou un désistement mène à la même destination, à la perte, au manque, vos chemins sont-ils parallèles ? Suis-tu la même route que lui ? Quoi que tu fasses ? Tu es dorénavant seule. Alors que vous étiez comme deux jumeaux. À vous deux, vous deviez être un semblant de perfection. Ce fut certainement votre malheur. Il était ta famille. Il était ta fierté. Il était beau. Il était ton amour impossible. Enfant, on te prenait pour le garçon et lui pour une fille. Vous échangiez vos noms. Vos habits. Vos manies. Votre façon d'écrire. Gaucher ou droitier. Peu importait. Tu aurais pu tempérer sa colère alors qu'il explosait tel un volcan mais tu t'étais mise à l'écart. Une brèche s'était ouverte et tu n'avais pu que regarder. Tu t'effondres et tu pleures.

137.

Marc sait très peu de choses sur ton frère, mais il a l'impression que tu lui ressembles de plus en plus. Il a raison. Tu te transformes. Tu prends ses mauvaises habitudes comme pour combler son absence. Tu tombes dans les mêmes travers comme si tu avais peur de l'oublier. Et c'est son ombre qui dicte tes mouvements.

138.

Le temps revient au beau. Vous vous baignez dans une mer agitée. Le mouvement des vagues rend tes pensées fertiles et tu ressens une étrange stimulation. Marc te regarde.

La veille, vous aviez décidé de passer la journée à Malaga. Au lieu de lui dire que tu n'as pas envie de te balader sous cette chaleur, tu lui démontres que faire le marché et manger dans votre restaurant préféré n'est peut-être pas la meilleure chose à faire un samedi. En plus, le frigo est encore plein. Aucun problème. Marc est aussi de ton avis. Mais comme c'est son week-end, il faut trouver quelque chose à faire ! Quand Marc te propose avec un grand sourire, on va à l'Aqua Park, tu ne peux pas refuser. Et de deux. Avec lui, tu vas découvrir tous les parcs aquatiques de la planète !

Après être passé dans le *black hole*, dépourvu de tous frissons, tu préfères encore te faire peur et descendre le *kamikaze*, un toboggan de septante-cinq mètres, à l'air libre. Il est clair qu'après celui du Brésil, c'est facile. Même si en grimpant l'escalier, la hauteur te fait peur. Tu ne peux t'empêcher de regarder en bas. Vous le descendez une bonne dizaine de fois. Ensuite vous

vous reposez, chacun sur une bouée, le long d'une jolie rivière. L'eau n'est pas profonde et légèrement trop chaude. Vous glissez de bassin en bassin en vous cognant gentiment les uns aux autres. L'activité parfaite pour les mamans et leurs enfants. Comme tu es trop enfoncée dans ta bouée, tu t'égratignes la fesse sur le rebord du premier bassin. Ensuite, tu te cognes méchamment le genou contre ton voisin. Et en descendant de ta bouée, tu glisses sur le sol. Tu sors estropiée de ce manège pour enfant. Il faudra attendre le lendemain pour que tu comprennes le malaise. Tu es incapable de bouger. De te plier. Ton genou a triplé de volume. Tes épaules sont coincées. Tes articulations ankylosées. Tu prends de l'aspirine à haute dose et tu passes le dimanche à gémir et à dormir. En plus de tous ces petits malheurs, tu as gagné un joli coup de soleil dans le dos. Eh oui, à force de glisser, même la crème est partie. Tu revois tous ces messieurs qui étaient beaucoup plus âgés que toi. Si ce n'était pas pour reluquer les gamines de quatorze ans, leur réveil doit être encore plus douloureux que le tien. Dans l'ensemble, à part ces quelques accrochages, ce fut une bonne journée. Dans la soirée, Marc vient te rejoindre au lit. Il te regarde et te demande :

— Alors Louise, qu'en penses-tu, ce n'est pas trop dur ?

Tu hésites. Tu n'es pas sûre de comprendre. Tu es prise au dépourvu. Quoi ? Que veut-il dire ? Ça fait exactement un mois que vous êtes ici. Tu n'as aucune envie de parler de toi. Tu lui retournes la question.

C'est bien toi la chieuse. Alors, est-ce qu'il y trouve son compte ? Il te regarde et te dit, tout va bien, je suis heureux, mais ce qui me semblait comme une évidence, à savoir habiter ensemble, je ne sais plus... Vlan ! Une claque bien sonnante. Il se retourne et te laisse de côté.

139.

Paul, tu ne pouvais pas compter sur lui. Son travail primait sur tout. Il n'avait aucune habitude, si ce n'est penser à lui. Tu pouvais passer des jours entiers, des semaines entières sans savoir où il était, sans avoir de ses nouvelles, juste attendre. Ses délires te faisaient frémir, même si sa folie te rendait jolie. La plupart du temps vous vous croisiez. Avec la satanée impression que tu le dérangeais. Quand tu avais mal, il n'éprouvait aucune peine. Va voir le médecin ! te lançait-il. Son attitude ne changea pas même quand tu lui annonças que tu étais enceinte. Tu te sentais ignorée. Alors que tu aspirais à cette vie traditionnelle. Vous étiez tous deux recouverts de névroses. Vous disparaissiez dans les explications, les subjonctives. Avec une langue maternelle différente, avec ses quiproquos, ses malentendus, ses expressions, ses idiomes, vous ne voyiez rien. Même plus le parcours des étoiles. Vous ne saviez plus lire. Vous ne saviez plus rire. Vous pensiez que tout était important. Mais rien n'est important. Pas même vous. L'adulte n'est rien. Il donne la vie à l'enfant pour ensuite l'empêcher de tourner en rond. Un fait n'est rien. Il se confondra avec le fond marin. Le pluriel est important. Vous confondiez amour avec bonheur.

Vous confondiez passé et présent. Présent et futur. Vous n'étiez plus capables de vous arrêter. Vous ne respiriez plus. Vous ne marchiez plus. Vous couriez pensant échapper à votre ombre. Vous vous nourrissiez de vos peurs. Vous étiez constipés. Vous dormiez grâce à des pilules. Et vous ne rêviez plus.

140.

De son fauteuil, Marc t'observe. Tu es face à lui,
assise sur le canapé rouge. Tu écartes délicatement les
jambes. Tu lui montres ce qu'il désire. Avec le regard
intrigué de voir ce qu'il va entreprendre. Il ne vient pas
vers toi. Il reste où il est. Il se cale en arrière et baisse
son pantalon tout en te regardant. Ses yeux dans les
tiens. Tu te lèves mais tu restes hors de sa portée. Une
jambe perchée sur le canapé. Tu ne le vois pas vraiment. La lumière de cette fin de journée est encore
forte. Et son visage est en contre-jour. L'ombre préfère
garder un peu de mystère. Sans te toucher, il te regarde
jouir sans rien dire.

Ton visage aveuglé, tu te diriges vers lui. La lumière
transperce tes yeux. Même ta peau semble pénétrée.
Tu t'assieds sur ses jambes, tes seins contre sa bouche.
Et vous écoutez le vent mugir dans les arbres, devant
la maison. Ta peau est douce et veloutée. Par tant de
moiteur, ta peau brille comme un lac blanc. Vous
échangez un profond soupir. Après cette effervescence
à laquelle vous vous habituerez peu à peu comme à
une drogue. Le soleil s'interrompt dans les rideaux, tu
es prise dans les rets d'un rêve érotique. Tandis que

l'image est en train de s'imprégner dans son esprit, tu ouvres les yeux encore soufflés par toute cette saveur.

Tu refermes doucement les mains sur la peau fraîche de ses fesses. Tu le regardes bander en t'étonnant des dimensions que son sexe peut prendre. Tu es nue, aussi nue que lui. Même si son corps semble toujours plein. Avec ses rondeurs. Il ressemble à un pop-corn gonflé, croustillant à l'extérieur et si tendre à l'intérieur. Tu aimes le tripoter comme si tu tricotais. Toi, tu es un peu maigre, avec des problèmes de femme maigre. Un tout petit ventre. Il le caresse, même s'il ne fait pas encore partie de toi. Avec sa main, il sent que tu es complètement mouillée. À l'intérieur, tout est toujours plus mystérieux. Pour toi comme pour lui. Vos langues pénètrent vos corps qui ondulent sur une musique que vous seuls entendez. Et petit à petit, vous entrez dans un rythme effréné vous coupant du monde. Plus rien n'existe autour de vous. Que le suivi de cette mélodie magique. Et soudain, à l'extérieur de la chambre, même à l'extérieur du lit, le monde a comme disparu. Dans le vide. L'espace se referme sur vous. Après l'amour. Vous n'entendez plus un bruit. Même les cloches de l'église se sont tues. De la cour, il n'y a plus aucune voix. La chaleur brûlante pèse sur les toits. Les pigeons se sont tus. Tout semble être entré dans un sommeil profond. Les maisons sont vides. Le quartier comme abandonné. Il n'y a plus que vous. C'est le soleil qui vous accueille dans sa lumière. Redeviens cet enfant et retrouve le goût de donner. Chaque jour, plusieurs fois par jour, jusqu'au dernier jour.

141.

Agenouillée comme si tu priais, tu t'attardes sur son aine. Sur ce pli si félin. Le renflement de ses reins. Tu l'entraînes dans ta gorge. Dans ta tête, il s'éloigne. Tu regardes son visage. Tu embrasses ses lèvres. Ta langue s'immisce entre ses dents. Tu parcours ses gencives. Les couronnes de son palais. Et tous les recoins. Il savoure ta salive. Tu trembles vigoureusement. Tu aimerais rester en lui mais tu pars déjà au loin. Tu te recules au plus profond de lui. C'est une danse comme un souffle suspendu. Votre soleil commun. Dans la saveur du massepain. Ce sont vos premières noces de la nuit. Tu es précise. Tu le réduis au désir. Aux bords de l'être, le paraître disparaît. Vous tombez dans un sommeil profond, récupérant ce que vous vous êtes donnés.

Après la douche, de retour dans la chambre, tu t'allonges sur le lit. Tu te couches sur le ventre. Marc passe derrière toi, un linge dans les mains. Il t'éponge le corps qui sera bientôt à nouveau humide. Sous ses rênes, tu veux être sa jument. Sous ses ordres, il sera ton cavalier. Tu seras son sol, sa couverture, son avenir. Il t'emmènera avec lui dans un chemin sans issue, dans ce cul-de-sac qui l'a fait tant rêver. Il remplira les frémissements de ta chair. Il vient près de toi. Dans un souffle fort, tu lui dis alors :

— Baise-moi !

Tu frémis au contact de ses lèvres contre tes fesses. Il remonte le long de ton dos. Il s'attarde entre tes reins. Il suce ta nuque. Il croque. Il mordille. Il relâche. Des gestes fermes, sans appel. Son sexe se balade et te découvre. Tu respires à peine. Il te sent vive, prête. Il te cale et te colle. Maintenant, il te glisse sur sa tête. Tes oreilles bouillonnent. Et ta tête décolle. Il laisse en toi grandir ce moment de pur abandon. Tu restes immobile. Ses mains te parcourent. Son corps tout entier veut entrer en toi. Ses pieds foulent ton étendue qui semble infinie. Tu ne dis rien. Tes jambes n'ont qu'une envie, aspirer son cul. Tu es prisonnière de ses gestes. Son sexe de toi. Gonflé par tant de pressions. Son ventre caresse tes seins. Il t'écrase et tu débordes.

— Écarte-moi encore !

142.

Tu te fixes tel un écrou sur une vis. Telle une pièce de puzzle qui s'imbrique dans le corps de l'image. Tu l'aspires et il te remplit. Et tu le tiens par l'intérieur de ton ventre. Tu ne vas plus le lâcher. Il t'a dans la peau. Tu l'as sous la peau. Vous êtes la conjugaison du vide et du plein. De la vie et de la mort. Il ne veut plus quitter cette chambre ni changer de lit. Il te laisse son corps. Son cœur. Il ne veut pas revenir dans ce monde creux.

Il sait ce qui se cache derrière tes yeux. Ce qu'il s'est passé. Mais il ne te le dira pas. Il respecte ton silence. Car jamais son regard ne changera. Ça fait si long-temps qu'il te voit te démener avec tes démons. La vie t'a sacrifiée. Et tu t'es sacrifiée pour l'amour de cette vie. Tout ce dont il a envie c'est de t'offrir un nouveau départ. Il veut être avec toi. Construire vos lendemains. Te rendre heureuse. Que tu sois sa femme. Tu lui donnes tant. Tu es immense. Tu le fais frémir telle-ment tu brilles. Tu palpites jusqu'à la limite de ta propre endurance. Il n'y aura plus de désespoir dans ta voix. Il veut un enfant de toi. Donne-moi un enfant ! Donne-nous un enfant ! Et toi qui oublies enfin d'où tu viens. Tu vas dans ses bras. Au creux de sa gorge.

Sa chaleur t'enivre. Il arrive. Et se déverse. Il se répand alors tu le reprends. C'est sans fin. Essoufflé, tes seins contre sa bouche, il boit ta transpiration. Tu es la femme de sa vie dans cette chaleur douce et amère que peut être la marée. Qui prend ? Qui rend ? Qui donne ? Qui reçoit ? C'est de tout votre corps dont il s'agit. De votre âme et de votre esprit. Une prière de la chair. Une prière de l'instant. De quoi est-elle faite ? Toujours d'amour, avec sa sueur, sa douceur et sa douleur, ralentissant la vie qui serait bien trop courte pour donner tout ce que tu peux.

143.

Ça s'est passé cette nuit ou très tôt ce matin, deux jours après votre retour en Suisse. Une découverte que tu dois encore garder pour toi. Marc dort profondément. Il s'est fait dévorer par les moustiques. Il est un vrai sucre d'orge. Sa peau est miel. Appétissante. Une prière à la débauche. La veille un ami est arrivé pour quelques jours. Mauvaise gestion d'agenda. Ce n'est pas grave. Un peu plus de monde. Tu n'as pas grand-chose à lui dire. Heureusement, il parle pour deux. Mais bon tu pars la semaine prochaine. Alors voilà. Tes idées sont ailleurs. Tu reviens de la promenade du matin. Tu es allée à la poste chercher ton courrier. Tu marches. Et tes idées poursuivent le ruisseau. L'air est frais. L'orage d'été n'a pas encore éclaté. Tu l'attends. Avant de monter chez toi, tu passes dans le jardin. Voir s'il n'y a pas quelques framboises mûres. À l'angle du chemin, Charlotte est étendue sur le sol. Tu t'approches. Elle ne bouge pas. Couchée sur le côté. De tout son long. La queue tendue, froide comme le reste de son corps. Scène immobile. Scène jamais vue. Charlotte est morte. La chatte de Marc. Chez toi. Et juste avant de partir en Italie. La pelle toute neuve que tu n'as pas encore utilisée va t'être d'un grand secours.

Mais tu ne la trouves nulle part. Pourtant. C'est con. Comme la cisaille. Tout semble disparaître. Pas de maisonnette cadenassée au fond du jardin. On entre et l'on sort comme on veut. Il faut tout de même savoir que derrière ces trois containers se trouve un jardin. Un peu bordélique, c'est vrai, un peu à l'anglaise, riche en pavots. À l'ombre du lilas blanc, Charlotte s'est volatilisée la nuit dernière à la poursuite d'une chauve-souris. Ou à cause de l'orage. Elle a la gueule et les yeux ouverts. Aurait-elle crié, aurait-elle voulu dire un dernier mot, balbutier un remerciement, improviser une révérence, étouffer un salut en tombant des dernières marches. Tout vient et tout part. Charlotte qui aimait tant parler. Se coucher à tes pieds la tête en premier. Elle aimait se faire remarquer. Elle était un peu folle. Elle n'avait peur de rien. Elle aimait les balcons. Les mains courantes. Les balustrades.

Les animaux sont porteurs d'un message. Et toute leur vie t'est dédiée à te raconter cette histoire. Tu ne pourras jamais les garder. Tu ne pourrais pas les protéger de la mort ou des gelures. Charlotte est morte. Tombée du ciel. Un lundi matin, gris, triste à souhait. Vous l'avez enterrée au pied de ton hêtre préféré au milieu d'un champ de blé. Avec vue sur le lac. Le sol était dur. Marc derrière toi pleurait. Et tu n'as pas eu la force de creuser un trou suffisamment profond pour que les renards la laissent tranquille.

144.

En Italie, tu as tout de suite pressenti qu'il y aurait des tensions.

La maison de famille est très jolie, une vieille bâtisse du début du siècle dernier, tout en longueur, où l'on vit dehors. À l'intérieur, il n'y a que les chambres. La façade est donc quadrillée par les coursives et passerelles en bois qui desservent les chambres et l'escalier extérieur. La cuisine est dehors autour d'une table en pierre. Les toilettes sont au fond du jardin dans un petit cabinet à l'ombre d'un gigantesque figuier. Personne n'habite cette maison qui ne peut être chauffée. Les cheminées ont été bouchées. Quand il fait beau, le jardin est un rêve au milieu des hortensias roses et bleus. La sauge, le romarin et le thym sont aussi grands que des arbres. La terrasse est faite de petits cailloux en rosace. Les murs qui délimitent la propriété sont dissimulés sous du lierre ou recouverts de mousse avec à chaque extrémité un buis taillé en boule. On traverse un jardin en pente. Cette façade de la maison n'a aucune fenêtre. Un très long mur de pierre avec quelques renforcements. Par-devant, le portail s'ouvre sur un chemin qui mène à la source. La maison s'appelle *Fontane*. Les Fontaines. Une source passe juste sous les fondations et un ruisseau traverse le jardin. La maison et le fond de l'air sont humides mais en plein été les siestes y sont très agréables. C'est une des dernières bâtisses qui surplombent le village sans vue directe sur le lac. Mais sur l'église et son couvent construit au XIIᵉ siècle. Le samedi et le dimanche matin, il y a le carillon. Qui dure une éternité avec des cloches qui sonnent faux. Vous vous trouvez non pas au bord du lac Majeur, mais plus à l'ouest sur les hauteurs du lac d'Orta. Un lac plus petit, plus en retrait du tourisme, plus discret et donc plus joli. Pourtant, tu ne sais pas si tu vas t'y plaire. Tu ne sais pas non plus si la famille de Marc va te convenir. La famille ne convient jamais. Tu en as quitté une, ce n'est pas pour en rencontrer une nouvelle ! Tu retarderas ton arrivée pour éviter la tante qui n'aime pas les chiens. Tu es avec Marc. Tu es sous la pluie. Tu te trouves sous une cascade. En Amazonie. Dans la jungle. Tu es mouillée et l'eau ruisselle le long de ton corps.

Pensant bien faire, Marc te fait découvrir Orta, la ville touristique comme tu les aimes ! Entre les *Was wünschen Sie sich ?* dès que tu t'arrêtes devant une vitrine et les remises à l'ordre *Mais occupez-vous de votre chien !* l'agressivité est assurée. Le ciel s'interrompt de pleurer et vous vous échappez au sommet du Sacre Monte une colline qui compte une vingtaine d'églises retraçant la vie de saint François. Face à Orta, l'île San Giulio semble irréelle avec son couvent et ses quelques habitations. Ce doit être tranquille. Bien qu'il faille encore s'entendre avec ses voisins. La vue est imprenable.

Marc ne semble pas connaître cette région. À l'exception des glaces et des meilleures pâtes. Il te dira, mais qu'est-ce que tu espères de plus ? Tu n'en sais rien. Silence dans la voiture. Le trajet est légèrement douloureux. Au supermarché, il te tend un panier que tu n'as pas envie de prendre. Il ne se passera rien. Pas aujourd'hui. Et la montagne disparaît dans la pluie.

145.

La campagne se révèle très vite bien moins stressante que la mer. Tu travailles dans la chambre du premier. Marc s'occupe de faire les courses, des lessives, d'étendre le linge et même de le plier. Il le fait tellement mieux que toi. L'après-midi, il coupe, pèle, décortique sur la table du jardin à l'ombre du parasol brun. Tu ne comptes plus les conserves, les compotes et les pots de confitures de figues, de mirabelles. Ta préférée reste la pêche blanche. Il connaît tous les marchés de la région. Il ramène à chaque fois quelques trouvailles. Du miel, des fromages. Et des cageots de tomates qu'il prépare en sauce tomate. Tu ne sais pas comment vous allez ramener tout ça en Suisse. Vous vivez au rythme du soleil. Vous dormez beaucoup. Tu as arrêté de boire du café. Tu es beaucoup moins nerveuse. Tu reprends tes exercices de yoga. Tu es calme. Et tu travailles. Tu trouves ton rythme. Ton amie t'avait dit de boire du thé vert et de manger des pommes pour ton problème de cholestérol. Depuis ton arrivée, tu vois et tu bois vert. Tu penses vert. Tu es sereine. À vingt et une heures vous êtes déjà au lit le sourire aux lèvres.

La première marche dans la forêt est un instant hors

du temps. Avec Largo et Rosi qui se réjouissent déjà d'arriver à la cascade. Le soleil transperce les branches de plein fouet. Vous marchez dans l'eau. Rosi saute de pierre en pierre. Elle vole et prépare ses rêves de conquête. Le temps est doux et tu deviens ordinaire.

146.

Marc s'absente quelques jours. Il retourne à Genève pour un entretien. Tu le conduis à la gare. Trois heures trente avec le train qui traverse la montagne dans le tunnel du Simplon. 1898-1921. Vingt-trois ans pour le creuser. Tu travailles. Tu es contente. Les animaux sont heureux dans cette paisible campagne. Il ne fait pas exactement beau. Mais la pluie par intermittence ne te dérange pas. Les nuages se languissent dans la forêt. Ils s'éternisent, laissant les cimes des arbres dans un brouillard qui semble en toi. La perspective est mélancolique. La chaleur du sol s'envole après l'orage violent de cette dernière heure. La nature s'est tue devant cet important déluge. Le ciel t'est tombé dessus et le monde se rétrécit en toi. Comme une surprise pour la fin de l'été. Tu ne distingues plus rien. Tout est dissimulé sous les hachures de la pluie. Plus rien n'existe que le fracas de cette mélodie contre le toit en ardoise. L'orage atteste de ta solitude perchée au sommet de ce village médiéval. Il fait bon rester près de la cuisinière à gaz. Accoudée à la table en Formica. Tu laisses la fenêtre ouverte. Largo est sur sa couche, Rosi sur le coussin d'une chaise. Et Marc te manque. Ce n'est pas la première fois.

147.

Dans un tiroir de la cuisine, tu trouves une carte pédestre de la région avec des itinéraires répertoriés. Toi, tu regardais seulement celle du monde qui est bien trop souvent inutile. Tu as passé tellement de temps à chercher ces sentiers qui mènent au paradis terrestre, à ces endroits qui se rapprochent du vide.

Ta tête respire devant ces images végétales semblables à une promenade dans une peinture de sousbois. Au matin, la lumière s'approche de l'eau. Le blanc n'existe que dans votre monde de reproduction. Tu te promènes dans l'aurore alors que tu traverses une forêt de bouleaux. Chaque excursion est parfaitement dessinée, un serpentin rouge qui coule autour des montagnes, qui se hachure sous les tunnels, qui s'affine le long des rivières. Ils sont tous inscrits là, devant toi.

Après ta journée de travail, tu retrouves Marc autour de la table en pierre du jardin pour choisir la destination du jour. Avec un parcours qui ne se perd pas dans les dénivellations. Tandis que ton doigt glisse sur la carte, tu explores déjà le chemin dans ta tête. Tu veux être sûre de trouver ce que tu cherches. Tu ne veux plus t'égarer. Ce que tu perdais en temps pour choisir ton chemin, tu le gagneras en multipliant les découvertes. Pour le plaisir de marcher. Seule avec Largo. Avec Marc, s'il ne pleut pas. Ou Rosi si tu ne prends pas la voiture. Tu ne peux t'empêcher d'aller vers les points d'eaux, un lac, un barrage, un étang, une rivière, un pont. Ou alors ce sera vers un ravin pour sentir les alentours devenir tiens.

Il y a quelques jours, vous vous êtes assis au bord d'un étang. Il n'y avait pas de vent, l'air était opaque, sans lumière, l'eau stagnante. Cette étendue d'huile était traversée de temps à autre par un oiseau qui déchirait le paysage.

Vous rencontrez des bergers. Vous traversez des troupeaux de moutons. Vous caressez une brebis. Une vache court après Largo mais n'arrive pas à le séduire. Rosi hurle à la mort perchée sur un caillou parce que vous ne l'avez pas attendue. Vous admirez ces calvaires de patience. Qui avait bien pu passer toutes ces heures à aligner ces pierres sur les plus vieux sentiers du monde ?

Vous rentrez avec des images illuminées de forêts à l'heure où les esprits libres regagnent la fraîcheur de l'ombre. Ils y vivent en grand nombre. Comme tous ces arbres qui construisent sans s'interrompre la cathédrale du monde. Pour chaque espèce, une raison d'être. Comme pour tous les maux, il y a un remède. Il y a l'arbre de l'amour, l'arbre de la guérison, l'arbre de la sagesse, l'arbre de la connaissance, l'arbre de la générosité, l'arbre de la mort, etc. Une forêt érigée dans la fragilité de la vie et la négation du temps. Car quoi que vous fassiez, elle continuera de croître.

Votre planète verte et bleue est un paradis, il n'y a

rien à envier aux morts. Vous ne la voyez plus car elle est devant vous tous les jours et vous ne l'avez jamais considérée comme le centre. Vous avez déjà oublié que le centre est en toute chose, il est partout, comme la circonférence est nulle part. Vous êtes dans la forêt. Vous êtes la forêt. Vous devenez ces arbres, ce vent, ces bruits. Vous êtes son souffle. Elle vous absorbe alors que vous vous détachez. Vous gardez le silence dans les dédales de cette cathédrale gigantesque, érigée par une force qui vous est étrangère et dont vous serez toujours tributaires. Dans ces moments privilégiés, tu penses à cet amour que vous vous donnez chaque jour. Tu apprends la patience. Tu apprends à apprivoiser cette vie. Depuis que tu te promènes avec Marc, tu comprends que tout est là. Tout ce dont tu as besoin.

148.

Il est quatre heures, tu viens de te réveiller d'une longue sieste. Cette journée est vaseuse. Ce matin, Marc a tué une vipère. Elle tentait de se cacher dans l'angle de l'escalier. Tu n'as rien vu et tu étais pieds nus. Il y a beaucoup de vipères et de scorpions. Voilà deux jours, c'est une couleuvre que tu as prise dans ta main pour la sauver des griffes de Rosi. Vous n'aviez pas de pince pour capturer la vipère, et voyant déjà le chat et le chien qui se réjouissaient de s'amuser avec, Marc lui a broyé la gueule avec un bâton. Tu ne sais pas si c'est à cause de la chaleur ou de ta crainte de revoir surgir un serpent sous tes chaussures, ou parce que tu as trop mangé, mais tu as mal au ventre et Largo reste gentiment derrière toi. En principe, il n'est pas très économe lors de vos promenades. Il voit des animaux que tu ne peux voir. Il suit des saveurs que tu ne peux sentir. Il court après des bruits que tu n'entends pas. Il se baigne dans n'importe quel cours d'eau. Il n'est jamais fatigué. Depuis votre arrivée, Largo est devenu la star du village, grâce à l'épicière qui ne peut s'empêcher de lui trouver toutes les qualités et tous les talents. Évidemment, il est beau, obéissant, attentif, respectueux et brave...

Au milieu d'une clairière, une maison surgit. Comme les volets sont fermés, tu t'en approches. Dans le jardin, un coup de fatigue t'assomme. Tu te reposes sous la véranda et tu dégustes le raisin accroché à la pergola. En contrebas de ce havre de paix, un ruisseau se déverse dans une mare entourée de fleurs sauvages. Même des nénuphars y flottent. Une colonie de fourmis intrigue Largo. Dans la pinède qui entoure cette petite maison, le sol est un tapis sourd et moelleux. Une éponge d'aiguilles amassées depuis tellement d'années. Dans le vide, tu marches accrochée à cette odeur de conifères. Tu voles et l'image se fixe. Alors que tu es déjà partie, la forêt s'agite. Tu glisses dans le temps. Tu marches sur une étendue de mousse. Seule la transpiration se fraye un chemin le long de tes jambes dont les moustiques se régalent. Ça ne sert à rien d'agiter les bras. Ou de balayer d'une main le derrière de ta nuque. Tes sandales ne te protègent de rien. Elles laissent tes pieds nus plus proches de Jésus. Au détour d'un buisson, tu rencontres un ange, une âme qui chante. Tu penses à Marc qui t'attend à la maison. Tu n'as pas voulu le réveiller de sa sieste. Le sentier te conduit au cimetière du village voisin. Devant le haut mur qui renferme les autels et les tombes, le saint-esprit de la nuit n'est pas encore venu. Sa flamme suspendue au-dessus de toutes ces têtes de morts assure une ambiance féerique.

149.

Marc désire un enfant. Avec toi, il se sent prêt. Il est décidé à tout tenter pour te convaincre. Même si ce monde n'est pas le meilleur, c'est encore celui que vous connaissez le mieux. Tu sais que tous les bras dans lesquels tu t'es assoupie n'ont représenté que la perpétuelle recherche pour trouver le bon. Maintenant tu le connais. Tu le gardes. Un nouvel enfant est justement ce qui t'aidera à mettre de l'ordre dans ta vie même si tu n'y verras pas plus clair. Le travail réside dans les préparatifs, dans l'organisation. Le reste n'est à proprement parler qu'un acte charnel.

Un enfant, c'est une main tendue vers le ciel. Dans votre jardin, il grandira. Il apprendra à parler aux pierres, aux plantes, aux fleurs, aux papillons, à toutes ces petites bêtes qui grimpent dans le tricot des branches. Sa maison sera une cabane perchée au sommet dans un grand chêne brun. Il s'y reposera après ses voyages de nuage en nuage. Après ses nages d'île en île. De parfum en parfum. Il parcourra la terre comme on surfe sur une vague. Il aura la patience d'attendre et de se laisser porter par le vent. Et cette terre le portera même si Dieu t'a répudiée. Tu regarderas ton enfant en savourant chacun de ses sourires. Ils effaceront un à un tes chagrins. Tu le regarderas comme un rêve. Tu lui parleras de tes malheurs comme de tes amis d'enfance. Avec le temps, tout se met en place. Un simple regard de sa part et tu oublieras que tu as eu froid. Tout au long de sa croissance, c'est lui qui te guidera de ses joies et de ses pleurs. Dans ses conquêtes et ses plaisirs. Et quand tu te sentiras perdue, tu interrogeras tes mains et les sapins de ton jardin. Ils te diront ce que tu dois faire. Ils te guideront toi qui sais lire. Parce que comme ton frère tu comprends leurs murmures.

La vie te fera à nouveau cadeau d'un enfant. Il tombera dans ta main comme un fruit, une deuxième chance. Une délicatesse qui t'apportera enfin la paix.

150.

Et comme un miracle n'arrive que dans la vie, tu en es sûre, tu es enceinte. Vous vous sentez les propriétaires du ciel. C'est la réponse de votre jardin. Ton amour dorénavant n'est plus stérile. Les forêts de ta tête deviendront calmes. Attendre un enfant est déjà le chemin vers ce repos. Il sera votre vie commune. Même si le terrain sur lequel vous bâtissez votre nouvelle vie est ardu. Marc, qui pour tout te dire, tait à jamais votre mensonge commun. Qui n'est qu'une autre manière de dire votre vérité. Que vous vous aimez. Personne ne connaît la réalité. C'est un mythe. Au fil des jours passent les saisons et tu n'auras bientôt plus la force de te sentir coupable. Tu deviens calme en pensant à ce nouvel enfant. Marc te contemple devenir mère et ces instants l'emportent sur l'ironie de la vie.

Ta peau est tendue, prête à exploser. Ton enfant te caresse de sa main humide. Timide, il se tourne et se retourne. Tu es sa vie. Sa nuit. Sa mélodie. Tu es sa douceur. Sa maison. Celle de la raison. Tu es sa volonté de grandir pour voir le jour. Tu es ronde. Tu es grosse. Tu es bonne. Et lui, il grandit. Il pousse. Il cogne. Son esprit se remplit de ta grâce. Quand tu l'écoutes, il te parle et te réconforte. Il suce déjà son pouce. Il te donne confiance. La vie ne te semble plus injuste. La vie commence d'être ce rêve. Une descente de flambeaux. De la tranquillité dans l'eau. Tu es fatiguée. Tu te sens lourde. Tu as faim. Une faim infinie. Le vent est enfin entré en toi. Il souffle dans ta maison où tourbillonnent des papillons. Dans quelques semaines, tu donneras naissance. Et toutes les feuilles tomberont. Tu regardes ton corps sous toutes ses formes. Rien ne t'échappe. Pas la moindre tache. Si c'est un garçon vous l'appellerez Constant. Si c'est une fille, ce sera Eva.

151.

Au crépuscule du printemps, Constant est né. En
pleine forme, avec toutes ses rondeurs et son sourire
ravageur. Maintenant, il dort. Il n'est pas encore
curieux. Le monde pour l'instant ne l'intéresse guère.
Il dort profondément. Ses joues gonflées avec ses yeux
qui ne peuvent déjà cacher son bonheur. Tu te reposes
rien qu'en le voyant dormir, en sentant son cœur battre
sous sa peau blanche encore trop grande. Il ressemble à
un dessin animé. Dans son couffin, il paraît minuscule.
Entre tes mains, tu pourrais le mettre dans ta poche et
partir sur les routes. Sur ton corps, il te tient chaud.
Tu l'avais rêvé en couleur. Il est plus beau que tu ne
l'aurais jamais espéré. Avec Marc, tu arriveras à dépasser tes peurs. Auprès de ton fils, ta vie est heureusement
bouleversée. Quand tu regardes ses mains, ses doigts
qui se resserrent déjà si fortement sur tes seins, sur ses
rêves de demain, il a sa vie et il semble déjà si loin de
toi. Mais tu seras là, quoi qu'il arrive, quoi qu'il fasse,
quoi qu'il advienne, tu l'aideras à trouver le bonheur
dans ce monde fragile. Il s'étire et il grandit déjà. Apparemment, il aime la gymnastique. Les yeux grands
ouverts il te regarde comme si tu ne faisais pas partie
de son monde. Tu le regardes s'ébattre avec ses fan-

tômes encore moelleux. Il court dans les champs. Le long d'un ruisseau chargé de boue. La rivière déborde. Les saules pleureurs l'accueillent et lui sourient. Dans sa main, ils lui donnent un soleil. Du haut d'un arbre, perché au-dessus de l'horizon, il respire ce vent frais et se prépare déjà au jour du départ. Il vient de la terre. La planète est ses racines même s'il ira voir d'autres espaces. Mais avant de partir à la découverte du monde, il pleurera ton départ car tu lui laisseras ta place.

152.

Aujourd'hui, ton fils fête ses vingt ans. Il est temps qu'il se retrouve seul et qu'il mène sa propre vie. Comme il l'entend. Comme cadeau tu lui offres de devenir un homme. De ne plus être un fils. Tu disparaîtras dans les flots d'une rivière, dans le précipice d'une cascade ou au creux d'une vague. Sa vie sera désormais entre ses mains. Ce soir, tu te rendras au sommet de la montagne noire et tu te perdras. Tu as rempli ton contrat. Tout ce qui compte est désormais derrière toi. Tu l'as amené à ses vingt ans pour qu'il connaisse ses désirs. Tout au long de ce chemin, il a assouvi ses envies. Il est rempli de connaissances. Il manque juste d'expériences. Maintenant il doit goûter la vie. La déguster. À la recherche de sa propre faim. Et connaître sa vraie valeur. Dès demain, tu ne seras plus là. La vertu ne s'acquiert pas avec le temps. La sagesse ne vient pas avec l'âge. Ton fils est bon et tu es fière de lui. Tu pars le cœur léger. Tu n'as plus de perspective sur la vie. Tu n'attends plus rien. Ta vie est derrière toi. Devant toi, il n'y a que cette mort qui arrivera tôt ou tard. Après lui avoir donné la vie et l'avoir guidé dans cette immense forêt, ta simple présence le gênera. Et jamais tu n'accepteras d'entraver sa liberté. Tu sais que tu as fait de ton mieux. Comme tu sais que tu as aussi fait le pire. Aujourd'hui, ton fils n'a plus besoin d'une mère. Mais tu ne peux pas changer de rôle. Tu ne pourras jamais le regarder autrement. C'est le drame de ce monde qui continue de tourner dans ce sens. Tu te dois de briser ce cercle vicieux. Pour lui. C'était ta promesse. Ce soir, tu t'en remets aux étoiles. Aux éléments qui décident. La roue tourne. Il est temps pour toi de laisser ta place. Tous les deux vous partez. Chacun de votre côté. Sans vous retourner.

153.

Les rayons du soleil touchent l'horizon. En cet fin
d'été, il n'est encore qu'un petit garçon. Dans sa salopette blanche tachée d'herbe et de terre, son corps
semble si fragile. La tête légèrement penchée, il te
regarde et te sourit.

Composition et mise en page

NORD COMPO
m u l t i m é d i a

CET OUVRAGE
A ÉTÉ ACHEVÉ D'IMPRIMER
SUR ROTO-PAGE
PAR L'IMPRIMERIE FLOCH
À MAYENNE EN DÉCEMBRE 2004

N° d'éd. : FF859801. N° d'impr. : 61766.
D.L. : janvier 2005.

Imprimé en France